KB182973

한승헌 평전

한승헌 평전

김삼웅 지음

범우

책머리에

자랑스럽게는 못 살아도 부끄럽지 않게

"내 삶의 궤적을 살펴보면 실로 평탄치 않은 기복이 드러나 있다. 인생의 명암을 놓고 말하면 명과 암의 극과 극을 한 몸으로 겪어야 했다. 내 이력서에는 양지도 보이지만, 연보에는 그와는 달리 음지가 짙게 번져 있다. 고백컨대 나는 음지 속에서 더 많은 깨달음을 얻었고, 인간적으로 성숙했으며 본색을 키웠고 보람을 찾을 수 있었다. 음지의 체험은 그런 의미에서 내 삶의 양지였으며, 그래서 나는 나를 키워준 음지에 감사한다."

고(故) 한승헌 변호사가 자서전 《한 변호사의 고백과 증언》 표지에 뽑은 〈자화상〉의 한 대목이다. 사람은 물론 초목들까지도 양지를 향한다. 어떤 의미에서 인간사와 세상사는 '양지쟁탈전'이래도 과언이 아닐 터이다. 그래서 인간군상에는 '양지족(陽地族)'과 '해바라기족'이 득세하는 경우가 흔하다. 초목이 햇볕을 향하는 것은 자연현상이지만 '인간 양지족'의 경우는 무슨 현상이라고 할까. 대체 무슨 조화인지, 나무는 음지에서 자란 목재가 더 결이 곱고 단단하다고 한다.

8·15 해방 후 이승만→ 박정희→ 전두환으로 이어지는 반세기의 정치사는 거칠게 말해 야만의 시대였다. 간판으로 내건 민주공화의 헌정질서는 저들에겐 거추장스러운 장식품일 뿐 지키고 보호할 가치가 아니었다.

1987년 '6월항쟁'으로 대통령 직선제를 쟁취한 이후 선출된 집권자 중에는 민주신봉자와 여전히 독재자의 아류 그리고 부패무능한 존재로 갈린다. 우리 헌법의 골격인 민주공화제의 핵심은 권력분립이다. 독재자와 그 아류는 이를 인정하지 않고 권력을 휘두른다. 마치 왕조시대의 군주인양 행세한다.

야만의 시대 지식인 그룹은 다양한 존재방식과 가치관이 주어진다. 축약하면 독재자들이 악법과 제도를 만들고 준법을 강요할 때, 순응하는가 거부하는가이다. '악법도 법'이라며 추종하는 무리와 이에 저항하는 소수로 갈린다. 추종에는 양지가, 저항에는 음지가 주어진다.

일반적으로 변호사는 양지그룹에 속한다. 돈과 권력과 명예를 차지하는 데 적합한 직종이다. 변호사와 검사는 흔히 양날의 칼을 든 검투사에 비유되기도 한다. 한쪽은 불의를 베는 칼잡이로, 다른 쪽은 정의를 지키는 보검의 역할이다.

긴 세월 멀리서 혹은 가까이서 지켜 본 고 한승헌 선생은 정의로운 법조인이었다. 젊은 시절의 비판정신과 정의감은 연륜과 더불어 또는 타성에 젖어 보수화되기 쉬운 것이 현실인데, 그는 청·장·노가 한결같았다. 연치는 늘어도 정신은 항상 싱싱한, 그래서 활동과 필력에서 영원한 현역, 영원한 청춘임을 보여주었다. 그는 늙어도 결코 낡지는 않았다.

선생은 심장이 뜨겁고 영혼이 맑은, 우리 사회의 흔치 않는 원로였다. 다산 정약용이 "시대를 가슴 아파하고 세속에 분개하지 않으면 글(시)이 아니다"라고 갈파했듯이, 그의 변론과 글에는 뼈가 있고 유머와 재치가 넘치지만, 진실호도나 음풍농월은 찾을 수 없다. 올곧고 강직한 선비 법조인이었다.

현대사의 소용돌이 속에서 다수의 법조인이 재물과 허영을 좇으며 시류에 영합하고 보신 출세할 때 선생은 타고난 반골정신과 학문적 탐구심으로 법전은 물론 시 · 서 · 문 · 사 · 철을 넘나드는 필봉으로 광기의 권력, 이를 추종하는 학기(學妓) · 기레기와 맞섰다.

31세 때에 5년 간의 검사직을 사임하고 사회적 약자들의 변론 길에 들어 처음 맡은 것이 기행으로 유명한 천상병 시인의 이른바 '동백림사건'이다. 34명이나 되는 이 사건 피고인 중 유일하게 변호인이 없음을 알고 직접 구치소로 찾아가 선임계에 도장을 받았다. 착수금 따위가 있을 리 없었다. 이런 초심으로 평생 사회적 약자, 문인 · 양심수, 학생 · 노동자의 편에 섰다.

선생은 인권변호사이면서 시인 · 수필가로서도 필력을 날리고, 촌철살인의 유머는 암흑시대에 신음하는 민초들에 생기를 불러일으켰다. 유신시대 추방자들과 〈으악새 모임〉을 만들어 산천과 싸구려 술집을 거닐며 시름을 달래는 풍류의 모습도 보인다.

서예 스승인 검여 유희강 선생이 "소외받는 사람들의 가까이 있으라"며 주신 '산민(山民)'이라는 호를 실천하며 법조 60년을 한결같은 자세를 유지했다. 정치적인 시국사건의 단골 변호인이 되고, 그래서 독재 권력에 찍혀 피고인이 되었다. 8년 5개월간 변호사 자격이 박탈되어 출판업을 시작하고 생계형으로 시작한 출판사 삼민사는 값진 책들을 펴내었다. 문화계에 남긴 과외의 소득이다.

판사 · 검사 · 변호사 · 피의자 · 방청인을 모두 겪은, 한국 법조사 유일의 기록을 갖고 있는 선생은, 그리고 짧은 기간 감사원장과 사법제도개혁추진위원회 공동위원장을 맡기도 했다. 이를 두고 '양지'를 말할 수도 있겠지만 그는 도지사와 정부각료, 비례대표 국회의원 등을 모두 사절할 만큼 세속적인 권세를 탐하지 않았다. 그리고 짧은 관직을 스스로 내려놓고 재야의 본업으로 돌아오곤 하였다.

1991년에 쓴 〈시대의 격랑 속에서〉의 마지막 대목은 지금 다시 읽어도 산민 선생의 올곧게 산 삶의 지침이 후인들에게 무겁게 다가옴을 느낀다.

"자랑스럽게는 못 살망정 부끄럽게 살지는 말자는 것, 지식인의 도리는 다하지 못할지라도 학기(學妓)는 되지 말자는 것 — 이런 자계(自戒)는 여전히 유효하다."

이 말은 내가 산민 한승헌 변호사의 평전을 쓰는 이유이기도 하다.

조용히 살고 싶었는데 거센 바람에 휩쓸려서

산민 선생이 살았던 20세기 후반에서 21세기 초엽은 과거 어느 시대보다 변화 · 굴곡이 심한 격동기였다. 많은 사람이 시대의 수레바퀴에 치어 목숨을 잃거나 낙오되었다. 일제 말기의 징용 · 징병에서 해방기의 좌우투쟁, 6·25전쟁으로 남북한 300만 명의 희생, 이승만과 박정희·전두환 군사독재 시기의 정치적 살해…… 여기에 굶주림과 역병, 자연재난으로 얼마나 많은 사람이 제명대로 살지 못했던가.

이런 시기, 이런 땅에서 80여 년을 올곧게, 많은 사람으로부터 존경과 사랑을 받으며, 평범한 그러나 비범한 삶을 영위한 것은 여간해서 쉬운 일이 아니었다. 선생의 일관된 삶의 가치는 그의 표현대로 "역사 앞의 죄인과 의인이 뒤범벅이 된" 시대에 "의롭고 억울한 사람들의 고난을 현장에서 지켜보고"*, 그리고 변호사의 자리에서 피고인의 자리로 위치가 바뀌면서도 그 길을 묵묵히 걸었다는 점이다.

"나는 본시 조용히 살고 싶었다. 내 성품도 야성(野性)과는 촌수가 멀었다. 그런데 내 희망과는 달리 세상의 거센 바람에 휩쓸려 거친 들판으로 내몰리고 말았다. 내 인생은, 앞에서도 썼듯이 '나무는 조용히 있고 싶어 하는데, 바람이 멎어주지 않는다(樹欲靜而風不止)'는 말 그대로였다.

세상의 수난에는, 그냥 앉아서 영문 모르고 당하는 희생(victim)과 불의와 맞서 싸우다가 당하는 희생(sacrifice)이 있다고 한다. 나의 작은 고난이 그 어느 쪽으로 분류되어야 하는지는 모르겠으나, 다만 한 가지 분명한 사실은 내가 선두의 사람, 즉 앞장서서 일을 꾸미고 이끄는 사람은 아니었다는 것이다. 다만, 그 대열의 어중간한 자리에서나마 결코 이탈하지 않고 꾸준히 따라다녔다고 할 수 있다. 적어도 군사독

* 한승헌, 《내 마음 속의 그들》, 114~115쪽, 범우문고 091, 범우사, 2002.

재 아래서는 다른 선택이 없기도 했다."**

그는 시대의 광풍에 지식인(법조인 · 검찰 · 교수 · 언론인)이 제 구실을 하지 않을 때 음지 쪽에 서서 역사적 소임을 맡게 되었다. 피할 수도 있었고 누가 강요한 것도 아니었다. 그런 과정에서 그는 남다른 모습을 보였다. 촌철살인의 유머로 분위기를 바꿔놓는다. 유머 관련 책을 3권이나 쓸 만큼 내용이 풍부하고 절묘했다. 그의 '유머철학'이다.

'웃기는 비법' 몇 가지를 알려 드린다. 첫째 요체는 압축이다. 말을 길게 할수록 유머의 필수요소인 박진감과 간결함이 떨어진다. 유머에는 의외성 또는 반전이 따라야 한다. 상식으로 귀결되면 웃기지 않는다. 유머는 직관이다. 순간 머릿속에서 떠오르는 것이어야 하는데 다양한 경험과 낙천적이면서도 비판적인 사고력, 꾸준한 지식의 함양 같은 것이 어우러져야 품격 있는 유머가 나온다.**

선생은 군사독재 시절 학생들과 민주인사들에 대한 검찰의 구형과 판사의 선고가 똑같아서 "자판기 판결", "정찰제 판결"이란 명언을 남기고, 군법회의 법정이 구형량에서 한 푼도 깎아주지 않던 유신 · 5공시대의 판결을 한국의 정찰제는 백화점보다 군법회의에서 최초로

---

*   한승헌 자서전, 《한 변호사의 증언》, 406~407쪽, 한겨레출판, 2009. (이후 《자서전》 표기)
** 〈박정희 때 '정찰제' 판결, 백화점보다 에누리 없었다오〉, 《한겨레》, 2017년 10월 2일.

확립되었다고 '판시'했다. 백 마디의 비판보다 훨씬 약효가 있는 '판결문'이다.

선생을 평하는 글 중에 한 편을 뽑는다.

내유외강이라는 말은 너무 상투적이라 바위와 이끼라는 말로밖에는 한 변호사의 그 품성을 표현할 길이 없다. 겉으로는 늘 푸르고 부드러운 이끼가 돋아 있다. 그것이 한 변호사 특유의 휴머니즘이다. 한 변호사는 만나면 늘 농담을 한다. 사람을 정면에다 대고 싫은 소리 하거나 면박을 주는 것을 나는 한 번도 본 적이 없다. 그러나 그것은 결코 식물성 온정이나 휴머니즘과는 거리가 멀다. 이끼가 돌에 붙어 있을 때만이 비로소 이끼답듯이 한 변호사의 그 온화함은 강인한 의지와 정의감 같은 견고성 위에서만 생명력을 지닌다. 이를테면 어려운 자나 약자를 그냥 동정하고 가슴아파하는 인정에서 끝나지 않고 그는 그들을 돕고 때로는 자신의 몸을 던져 방패가 되기도 한다.*

세상에는 덜 알려져 있으나 그는 시인이기도 하다. 그의 시집에 실린 〈백서(白書)〉의 한 대목이다.

거센 비바람이야 어제 오늘인가
아직은 목마름이 있고

* 이어령, 〈바위의 이끼는 늙지 않는다〉, 《한승헌선생 회갑기념논문집, 한변호사의 초상》, 226쪽, 범우사, 1994.

아직은 몸부림이 있어

시달려도 시달려도 찢기지 않는

꽃잎 꽃잎

꽃잎은 져도 줄기는 남아

줄기 꺾이어도 뿌리는 살아서

상처난 가슴으로 뻗어 내려서

잊었던 정답이 된다.*

　　산민 선생의 파란 많은 삶, 사이사이에 유머가 깃든 음지와 양지
를 향해 떠난다.

---

* 한승헌 시집, 《하얀 목소리》, 서정시학, 2017.

차례

책머리에 · 5

제1장   출생과 성장   19

    1. 일제말기 한빈한 가정에서 출생 · 19
    2. 알바하면서 중 · 고교 다녀 · 23

제2장   대학 진학과 사회 활동   27

    1. 전북대 진학, 군법무관 때 김송자 씨와 결혼 · 27
    2. 검사 생활 5년 만에 사직 · 31

제3장   변호사의 길   35

    1. 검찰의 흑역사와 현재진행형 · 35
    2. 사법의 흑역사 을사오적이 판사 출신 · 38

제4장   시국사건 전담 변호사로   41

    1. 시국사건 100여 건의 장정에 나서다 · 41
    2. 시국사건 변론 1호 남정현 소설 〈분지〉 · 45
    3. 동백림사건 이응로 화백 부부 변론 · 50
    4. 〈귀천〉의 시인 천상병 변론 · 53
    5. 통혁당사건 '조연급' 3인 변호 · 57

제5장 **저항과 시련의 1970년대** 61

1. 김지하 담시 〈오적〉 필화사건 변론 · 61

2. 월간《다리》필화사건 변론 · 65

3. 재일동포 유학생 간첩단사건 변론 · 69

제6장 **유신정변기의 정치사건** 73

1. 유신의 희생양 김상현 변론 · 73

2. 김준희 교수 남북 유엔 동시가입 필화 변론 · 78

제7장 **다양한 사회활동** 83

1. 방관자를 질타하다 · 83

2.《법과 인간의 항변》펴내 · 87

제8장 **박정희 긴급조치 시대** 91

1. 긴급조치 살얼음판 시국에 · 91

2. 남산 부활절 연합예배사건 변론 · 95

3. 긴급조치 1호 위반, 장준하 · 백기완 변론 · 98

4. 날조된 문인간첩단사건 변론 · 101

제9장 **민청학련사건과 인혁당사건** 105

1. 본 변호인은 빈 의자를 변호하러 온 게 아니다 · 105

2. 날조된 인혁당사건 여정남 변론 · 110

제10장 **유신정권의 정치보복에 맞서** 115

1. 대통령 후보 김대중 변론하다가 · 115

2. 민주화운동단체 참여, 이병린 변론 맡았으나 · 119

제11장 **피고인이 되기까지** 123

1. '필화사건' 전담에서 '필화 피고인'으로 · 123

2. 피고인이 된 시국변호사 · 128

제12장 **낭인시절 거쳐 출판업** 131

1. 9개월 만에 석방, 저작권 연구 · 131

2. 출판사 '삼민사' 설립 · 134

3. 추방자들의 모임 '으악새' 선언 · 137

제13장 **전두환 5공시대의 시련** 141

1. 날조된 김대중내란음모사건에 엮여 · 141

2. 김천소년교도소에서 수형 생활 · 145

제14장 **자유로운 영혼으로** 149

1. 전과 2범 '내릴 수 없는 깃발' · 149

2. '빵잽이' 이력에 개띠 동갑들의 '개판' 모임 · 154

3. 변호사 복권, 저작권 강의와 세계여행 · 157

제15장 **법조계에 복귀하여** 161

1. 《민중교육》지사건 변론 · 161

2. 부천서 성고문사건과 '보도지침사건' 변론 · 165

3. 6월 민주항쟁에 앞장서다 · 168

제16장 **멈추지 않는 활동**   171

1. '민변' 참여, 현판 글씨 지금도 · 171
2. 일복 타고나, 《한겨레》 창간위원장 · 174
3. 문익환 · 임수경 방북사건 변론 · 177
4. 김대중 납치사건 진상규명활동 · 180
5. 동학농민혁명기념사업회 이끌어 · 183

제17장 **감사원장 시절**   187

1. 감사원, 독립적 지위 확보 · 187
2. 감사원장 정년 연장시키고 자신은 퇴임 · 191

제18장 **재야로 돌아오다**   195

1. 노무현 탄핵 관련 변호인단으로 · 195
2. 탄핵결의안 '통과 절차' 흠결 지적 · 200

제19장 **회갑문집에 보이는 초상**   203

1. 회갑문집 《한 변호사의 초상》(1) · 203
2. 회갑문집 《한 변호사의 초상》(2) · 207

제20장 **사법제도 개혁에 나서다**   211

1. 사법제도개혁추진위원장 맡아 · 211
2. 반개혁 세력의 두터운 층위 · 214

제21장 **더 넓은 광장을 향하여** 217

1. 변론사건 67건의 실록 7권에 담아 · 217

2. 유머라는 정서적 동반자 · 221

3. 유머 대가의 책에서 뽑은 유머 · 225

제22장 **사회원로의 직설 발언** 229

1. 시민사회의 힘을 보여줘야 · 229

2. 세월호 참사 박근혜에 직격탄 · 233

3. '양승태 사법부' 거세게 비판 · 237

제23장 **석양에 더욱 빛나다** 241

1. 《법창으로 보는 세계명작》 펴내 · 241

2. 법조 55년 기념선집 축하모임 · 245

3. 한승헌 변호사의 저서 4권과 시대정신 · 248

4. 자서전 《한 변호사의 고백과 증언》 · 254

제24장 **노후의 유유자적** 259

1. 필화사건 재심 무죄, 국민훈장 무궁화장 받아 · 259

2. 물욕 없고 탈권위의 서민 그대로 · 262

3. 균형과 탈속… 기독교인이 되다 · 265

4. 미수기념 문집 《산민(山民)의 이름으로》 · 268

5. 단애에 버티고 선 천년의 바위 같은 모습 · 272

제25장 **여생의 과제, 기록과 정리**   275

1. 경향신문에 '재판으로 본 한국현대사' 연재 · 275

2. 《하얀 목소리》 시집 간행 · 279

3. 법치주의여, 어디로 가시나이까 · 285

4. 마지막 저서 《그분을 생각한다》 · 288

제26장 **생의 나래를 접다**   293

1. 향년 88세, 민주사회장으로 광주 5 · 18 민주묘지에 안장 · 293

2. 존경하는 한승헌 변호사님의 영원한 안식을 기립니다 · 297

3. '지는 싸움' 계속하였던 산민 한승헌 선생을 기리며 · 300

4. 덧붙임— 워즈워스가 존 밀턴에게 드린 헌사를 · 306

제 1 장
출생과 성장

일제말기 한빈한 가정에서 출생

나와 이 세상과의 만남은 초장부터 불황이었다. 우선, 내가 태어나서 유년기를 보낸 1930년대는 일제의 식민지 수탈로 시운의 맥이 빠져버린 시기였다. 태평양전쟁의 침략놀음이 한반도를 더욱 옥죄었으며, 일본이 패전할 기미가 보이자 온갖 말기증세가 기승을 부렸다. 징병이나 징용으로 많은 남자들이 끌려갔으며, 부녀자와 어린 것들은 전시 통제와 가난에 시달리면서 연명을 해나가는 참상을 면치 못했다.

산간부의 농촌지역은 더욱 생기를 잃어갔고, 농민계층은 기아에 허덕였다. 농작물의 강제 공출 등으로 하루 세 끼를 때우지 못하는 집이 늘어갔다.[*]

* 《자서전》, 25쪽.

1934년 9월 29일 아버지 한상규와 어머니 이종단 사이에서 태어 났다. 전북 진안군 안천면 노성리에서, 혹독한 시기였다. 조선이 일제 의 식민지로 전락한 지 24년, 조선 8도 어느 곳이라도 어렵지 않은 지 역이 없었지만 농촌의 살림은 특히 어려웠다.

그가 태어나던 해 조선총독부는 '조선농지령'을 공포하여 농민들 을 더욱 쥐어짜고 소작쟁의 등 저항운동을 탄압했다. 그런 속에서도 한 해 전에는 조선어학회가 한글맞춤법통일안을 발표하는 등 애국지 사들은 끝까지 민족정신을 지키고자 노력하고 있었다.

아버지는 책상물림의 유생(儒生)이자 농부였다. 우리 고을에서는 한학(漢學)으로 아버지만큼 유식한 이를 찾아보기 어려웠다. 집안에서 나 고장에서 무슨 일이 있으면 아버지를 찾아오곤 했다. 애경사(哀慶 事) 때에 제문, 축문, 혼서지 같은 것에서부터 하다못해 지방(紙榜)이나 편지의 대필에 이르기까지 아버지의 봉사(?) 범위는 상당히 넓었다.

그렇다고 세도가 당당하거나 똑똑한 선비로 처신하신 것은 아니 었다. 좀 무엄하게 평하자면 무골호인형의 인간이셨고 책과 붓만을 벗 삼아 살아갈 수 있을 만큼 넉넉한 형편이 아니었기에 문약(文弱) 을 무릅쓰고 농사일을 하시는 한편 나무하러 산을 오르내리시기도 했다.*

---

* 한승헌, 《불행한 조국의 임상노트, 정치재판의 현장》, 23쪽, 일요신문사, 1997. (이후 《정치재판의 현장》 표기)

어머니는 생활력이 강하여 자식의 학비 마련과 빈곤 타개를 위해 시장에 나가서 장사를 하기도 하였다. 과묵한 아버지에 비해 어머니는 당신의 생각이 분명한, 해학으로 사람들을 웃기기도 하였다고, 한승헌은 기억한다. 그의 유머는 어머니의 유전자를 닮은 것 같다.

부모는 9남매를 출산했으나 모두 어려서 잃고 한승헌만 살아남았다. "무녀독남 외아들이었던 나는 외로우면서도 귀하게 자랐다. 곁에서 도와줄 형제가 없으니까 매사를 스스로 알아서 해야 했다. 그러다 보니 자립심이 강해졌다."*

그는 성장하여 사회활동을 하면서 가끔 자신을 '실향민'이라 하였다. 사연인즉 "2001년 가을에 준공된 용담다목적댐 때문에 고향이 수몰되어버렸다. 6개 면이 물에 잠기고, 2864세대 1만 2천 명의 이주민이 대대의 삶의 터전을 떠나야 했다."** 북녘에서 온 실향민들은 통일이 되면 찾아갈 고향이 있으나 자신은 고향이 물속에 잠겨 있어서 심청이 용궁 찾아가듯 물속으로 잠수해 들어가서나 가능하다는 아쉬움이었다.

아버지는 한때 함경북도 경흥에 있는 탄광에서 노무서기로 일하였지만 돈을 벌지 못한 채 귀향하여 가정은 언제나 어려웠다. 어머니가 억척스럽게 노동하여 생계가 근근히 유지되었다. 6세이던 1940년 4월 향리에 있는 안천국민학교에 입학했다(국민학교는 당시 호칭). 한 학년 평균 30명 남짓 전교생 200명 안팎의 작은 학교였다. 일본인 교장

* 한승헌, 《자서전》, 27쪽.
** 앞의 책, 25~26쪽.

과 3명의 한국인 교사가 두 학년씩을 맡아 가르쳤다.

4학년 때 전주에 있는 아이오이(相生) 국민학교(현 전주초등학교)로 전학했다. 중학교 진학을 위해서는 도시에 있는 학교에 가서 공부해야 한다는 부모님의 결단이었다. 아직 어린 나이에 부모 곁을 떠나 전주 숙부 댁에서 기식을 하며 낯선 학교에서 공부한다.

일제말기여서, 학생들은 공부 대신 송진 채취를 위한 솔뿌리캐기와 모심기 등 노력 동원 그리고 수업을 중단하고 방공호로 대피하는 연습 등 혼란한 상황이 계속되었다.

한승헌(韓勝憲)이란 이름은 아버지의 글 친구가 지어주었다. 항렬자인 '헌(憲)' 자를 넣어 지은 것이다. 성장하여 변호사가 되었을 때 이름과 관련 '비화'가 있다.

"어떤 이는 내 이름이 법률가 또는 법조인으로 안성맞춤이라고 덕담을 한다. 법 헌(憲) 자와 이길 승(勝) 자가 함께 있으니, 법대로 해서 이긴다는 뜻 아니냐고도 한다."*

그런데 이름 때문에 엉뚱하게 고통을 겪기도 했다. 시대의 소극인지 비극인지 모를 일이 벌어졌다. "무슨 시국사건으로 '남산'(당시 중앙정보부 별칭)에 끌려가서 조사를 받을 때의 '희극'이었다. '당신 이름이 이게 뭐요, 한승헌이라, 그러니까 한국의 (유신)헌법을 이기겠단 이 말이야?'"**

* 앞의 책, 21~22쪽.
** 앞의 책, 20쪽.

알바하면서 중·고교 다녀

11세에 해방을 맞았다. 아직 역사적·민족사적 해방의 의미를 이해하기는 어린 나이였지만 당장 우리말을 되찾고, 송진 채취하는 일이 그치고, 방공호로 피신하지 않아도 되어서 좋았다. 고향집으로 돌아오게 된 것도 해방의 덕이었다.

아버지가 이제 한문 공부를 해야 한다면서 낮에는 전학가기 전의 그 학교에 다니고, 밤에는 초등학교 교장을 지낸 서당의 훈장에게 한문을 배웠다. 7~8명 되는 학동들과 좁은 방에서 열심히 한문공부를 한 것이, 뒷날 밑천을 유용하게 써먹을 수 있었다고 회고한다.

소년은 거창한 '청운의 꿈'이나 '야심' 같은 것 없이 농촌에서 부모님 모시고 평범하게 살고자 했다. 그래서 중학교 진학을 포기하고 있었는데 부모님의 생각은 달랐다. 하나밖에 없는 자식을 농사꾼으로 묻힐 수 없다는 것이다. 설득으로 다시 전주의 숙부 댁으로 가서 전주북중학교에 입학했다. 졸업 후 교사가 되길 바랐던 부모의 뜻에 따라 전주사범에 응시했으나 낙방하고 2차로 합격한 것이다.

집에서 학자금을 보내 줄 형편이 아니어서 1학년 때부터 신문배달을 하고, 중2 올라가서는 전주역 구내에서 역무원들에게 내쫓김을 당하면서 이런저런 물건을 팔았다. 얼마 뒤부터 잡지나 단행본을 들고 다니며 팔았다. 그는 세상의 야박한 인심을 알게 되고 따뜻한 인정도 맛보았다.

한승헌이 성장통을 앓으며 자라고 있을 즈음 3·8선으로 분단된 땅에 미군정이 들어서고 임시정부 요인들이 환국했으나 설 땅이 주어지지 않았다. 신탁통치 문제로 갈라지고 송진우·여운형·장덕수가 차례로 피살되었다. 김구·김규식 등의 남북협상이 좌절된 가운데 1948년 8월 15일 이승만 정부가 수립되었다. 그리고 얼마 후 임시정부 주석 김구가 암살당했다.

그때 우리는 교실 책상에 엎드려 모두 훌쩍이며 울었다. 범인의 배후는 누구일까라는 의문이 세상을 덮었고, 더러는 이승만 박사일 것이라는 말도 나돌았다. 그런 혼란 속에서도 모두들 열심히 공부했다. 그 다음 해에 '한국전쟁'이 터질 줄은 누구도 예상하지 못한 채.[*]

우리나라 근세→ 근대→ 현대사를 통틀어 이들만큼 시대적 불운을 타고 난 세대도 드물 것이다. 그래도 해방을 맞지 않았느냐고 할지 모르지만, 광복이 되지 못한 해방은 분단으로 이어지고 미군정이라는 새로운 사슬에 묶이면서 친일파가 청산되기는커녕 새정부의 주도세력이 되고 있었다.

중3 때 학제가 변경되어 고등학교제가 새로 도입되었다. 전북에서는 그가 다니던 전주북중에 전북고등학교(후에 전주고등학교로 개칭)가 신설되어 도내의 각 중학교에서 우수 학생들이 모여들게 되었다. 한승헌도 신설된 고등학교에 지원하여 합격하였다. 교육법 개정의 지

---

[*] 《자서전》, 36쪽.

연으로 6월 22일 개학한 지 사흘 만에 6·25전쟁이 일어났다. 북한군의 전면 남침으로 시작된 전쟁은 이승만 대통령의 '서울 사수' 방송과는 달리 국군은 크게 밀리고 있었다.

7월 16일 학교는 휴교에 들어갔고 그는 부모님이 계신 진안으로 돌아왔다. 다행히 마을에서는 전쟁 관련 희생자가 없었다. 좌우대립이 생기지 않았기 때문이다.

9·28 수복으로 전세가 역전되고 가을에 휴교령이 해제되면서 학교는 다시 문을 열었다. 하지만 학교는 국군이 병영으로 사용하고 있어서 전주남중학교의 일부 교실에서 더부살이 수업을 하였다.

학비를 벌어야 했다. 방과 후 전주역 근처의 도장·명함집에 일자리를 얻었다. 일거리가 많았고, 명함 찍고 도장 파는 요령을 습득하여 제법 숙련공이 되었으나 주인이 약속한 보수를 주지 않았다. 직종을 바꿔 아르바이트 필경사 노릇을 하여 제법 수입이 따랐다. 필경일 때문에 학교공부 시간을 빼앗겨 고민이 많았다. 게다가 학도호국단이 생겨 군사훈련을 받아야 하고, 각종 시위·행진에 학생들이 동원되었다.

고3이 되었다. 학교에서는 성적이 좋은 그가 서울대에 진학하길 바랐다. 당시 서울대는 피난수도 부산에 있었다. 첩첩산중에 외롭게 사시는 부모를 두고 멀리 부산에 유학할 엄두가 나지 않았다. 절친이 자기와 함께 가자면서 서울대 입학원서를 챙겨 왔으나 부모님 가까이에 있고 싶다는 마음으로 전북대학에 입학원서를 제출하고 합격통지서를 받았다.

"내 결정에 절대 후회하지 않겠다고 다짐을 했다. 나는 그 다짐을 한 번도 어긴 적이 없다."[*]

---

[*] 앞의 책, 42쪽.

제 2 장
대학 진학과
사회 활동

전북대 진학, 군법무관 때 김송자 씨와 결혼

6 · 25전쟁이 아직 끝나지 않은 1953년 4월 전북대학교 법정대학 정치학과에 입학했다. 감수성이 예민한 청년이 온전한 정신으로 공부에만 열중하기에는 사회가 너무 혼란한 시기였다. 이승만의 권력욕은 피난지 부산에서 정치파동을 일으켜 집권연장을 기도하고, 부정부패가 사회를 온통 오염시키고 있었다.

학비는 4년 내내 장학금으로 충당하고 숙식비 등은 고등학생 때의 필경사 경험을 살려서 교수들의 교재 원고를 등사원지에 필경을 하고 종이를 사다가 프린트를 한 다음 제본까지 해서 학생들에게 팔았다. 대학교재가 흔치 않고 교수들도 저서를 내기가 쉽지 않았던 시절이라 프린트물로 강의 교재로 삼는 일이 많았다. 수입이 만만치 않았다.

봉사활동으로 1학년 때부터 법대의 학보(學報) 편집을 맡았다. 기획·원고청탁·취재·편집·교정까지 혼자서 해냈다. 문재(文才)가 있어서 교내 학술발표회 행사에서 논문으로, 또 전북일보사 공모 인권옹호상에 당선되었으며, 2학년 때는 대학신문('전북대학교보')의 창간 요원으로 활동하였다. 대학신문에 시와 수필을 쓰고, 《전북일보》에 가끔 기고하여 신석정(辛夕汀) 시인으로부터 좋은 평가를 받았다.

2학년 때 KBS 아나운서 시험에 응시했다가 낙방하고, 3학년이 되면서 졸업 후의 진로를 걱정하게 되었다. 고교 때부터 언론계 진출을 꿈꾸었으나 지방대 출신으로 쉽지 않을 뿐만 아니라 전란기의 언론계는 부패·타락·곡필이 횡행하고 있어서 거대한 탁류를 정화시킬 자신이 없어서 이를 접었다.

현실은 차가웠고, 지방대학 출신에게 취직의 문은 너무도 좁았다. 요즈음과 달라서 그때는 일자리가 너무도 한정되어 있었던 데다가 사바사바니, 빽이니 하는 요소가 작용하지 않고서는 취직이 힘들었다. 출신대학 여하간에 자력으로 생업을 갖는 일은 내가 그렇게도 하고 싶지 않았던 고등고시의 관문을 뚫는 길밖에 없다는 결론이 나왔다.*

순전히 취업의 수단으로 뒤늦게 고시공부를 시작하여 첫 번째 응시에서 실패하고, 재수를 거쳐 1956년 두 번째 도전하여 합격했다. 1957년 1월 구술 시험을 거쳐 최종 합격자가 발표되고 며칠 후, 아버지가 53세의 창창한 나이에 사망하였다. 졸업식 날이 부친의 장례일

* 《정치재판의 현실》, 37쪽.

이었다. 외아들을 위해 그토록 애쓰셨던 부친을 허망하게 보내면서 고시합격이나 대학졸업의 의미를 크게 잃었다.

"졸업 후 곧 육군에 소집되어 소정의 교육을 받고 군 법무관(중위)으로 입관되어 군법회의 업무를 맡았다. 1년 반의 후방 근무에 이어서 1958년 여름에 전방으로 가게 되었다. 155마일 휴전선 중 가장 지세가 험한 중동부전선에 있는 부대에 배속되었다. 그리고 1960년 4·19가 지난 뒤, 나는 3년 반 만에 예편을 하고 서울로 나왔다."*

이 시기에 그는 군 법무관으로 군인재판의 재판장역을 맡았다. 그래서 판사·검사·변호사·피의자·증인을 두루 거친 한국사법사의 유일한 경력의 인물이 되었다. 육군 제3관구사령부 법무부 감찰과장으로 재직할 때(1958년 5월), 전북 완주군 봉동면 김종근의 무남독녀 김송자 씨와 결혼한다.

"아내는 전북대학교 법정대학 동기생이지만 과는 달랐다. 나는 정치학과인데, 아내는 법학과였다. 서울의 한 여자대학(당시는 피난수도인 부산에 있었다)에 합격하고도 형편이 여의치 않아서 시기를 놓치고 전북대학교로 편입해 들어왔다. 중간 편입생이다 보니까 학기 초의 강의노트가 필요했던지, 교무과의 여자 직원인 법대 선배로부터 몇 과목의 노트를 빌려달라는 청이 있었다. 그 여학생과의 직거래(?)가 아니라 그 선배를 거치는 간접 교류였다. 1학년 때는 과가 달라서 공

* 《자서전》, 61쪽.

통되는 교양과목이 몇 개 있어 같은 강의실을 드나들기도 했지만, 서로 말을 주고받는 일조차 없을 정도로 막혀 있었다."*

인연이 있어서인지, 두 사람은 처가댁 마당에서 결혼식을 올리고 부부가 되었다.

"아내는 나와 동갑이었는데, 생일이 나보다 한 달 빨랐다. 그래서 나는 아내를 '월상(月上)의 여인'이라고 소개하기도 한다. 아내는 나의 근무지에 따라, 대전에서도 살고, 휴전선을 눈앞에 둔 강원도 사창리 골짜기에서도 살았다. 신혼이라고 하기에는 불편이 많고 검소한 출발이었다. 그런가 하면, 고향에서 홀로 쓸쓸하게 살아가시는 어머니를 모시고 며느리로서 효성을 다하기도 하였다."**

"일반적으로 법조인의 아내가 되면 유복한 생활을 하는 것으로 알고 있는데, 아내는 그런 통념과는 달리 각박한 살림에서 헤어나기를 못했다. 나는 이 점에서 아내에게는 미안한 생각을 갖고 살아왔다.

그런 중에도 내가 신상에 위험변수가 따르는 시국사범 변호사와 민주화운동에 나서는 것을 반대하지 않고 묵묵히 뒷받침해준 것도 나에게는 큰 힘이 되었다. 그리고 모든 것을 잘 감내하고, 불평불만을 삭여가며 살아온 아내의 성품과 덕성에 늘 감사하고 있다."***

* 《자서전》, 391~392쪽.
** 앞의 책, 393쪽.
*** 앞의 책, 394쪽.

검사 생활 5년 만에 사직

한승헌 변호사가 세상을 하직할 때 신문의 부고 기사에서 '전직 검사'였다는 사실이 알려지면서 여러 사람이 놀랐다고 한다. 이른바 검찰공화국의 '검사상'을 연상해서일 것이다.

그는 1960년 11월 검사로 임명되어 부산지방검찰청 통영지청으로 발령받았다. 27세 때이다.

"충무에서의 검사생활은 빛과 어둠이 교차되는 낯선 체험이었다. 정치적 독재가 무너진 4·19 후의 사회분위기는 무질서 쪽으로 많이 기울어서 폭력과 밀수행위가 늘어나고 있었다. 부임 후 며칠도 채 되지 않았을 때 술집 여인 피살사건이 발생했는가 하면, 이른바 '이즈하라(嚴原) 특공대'의 밀수사건이 자주 적발되기도 했다."*

그에게 검사직은 성격상으로 맞지 않았고, 그래서 충무는 문인과 예술인을 많이 배출하고, 향토에 남아서 작품활동을 하는 분들이 많아서 그들과 자주 어울렸다. 그곳 문인들의 초청을 받고 시낭송회에 참여하기도 하고 개인 시화전을 갖기도 했다.

"1961년 가을 '미림'이라는 다방에서 열린 나의 시화전은 나로서는 잊기 어려운 추억이자 '만용'이었다. 그때 그림을 맡아주신 분이 지금 부산에서 활약 중인 김종근 화백이었다.

---

* 《정치재판의 현장》, 46쪽.

시화전 출품 작품을 중심으로 《인간귀향》이라는 시집을 묶어내기도 했는데, 우선 현직 검사의 시화전이라는 점에서 화제가 되었던 것 같다. 그런저런 인연으로 해서 나는 훗날 충무 출신의 여러 인사들과 교분을 두터이 하고 지낼 수가 있었다."*

충무시절 그는 야간에 직업소년학교(정식 명칭은 '충무고등공민학교')의 교사가 되어 불우 청소년들을 가르쳤다. 가정형편으로 중학진학을 포기하려 했던 어릴 적 추억을 회상하며 성심성의를 다해 교단에 섰다.

1962년 봄, 법무부 검찰국으로 전보되었다. 법무부에 근무하는 동안 장관 세 사람(조병일 · 장영순 · 민복기)을 모셨다. 그의 필력이 알려지면서 장 · 차관의 이 · 취임사를 쓰게 되고, 업무와 무관한 각종 기념사 · 축사를 작성하였다. 장 · 차관을 수행하여 군사정권의 최고 권부이던 국가재건최고회의에, 브리핑 차드나 보고 관련 문서를 챙겨들고 수행했다.

"태평로에 있던 최고회의에 가면, 5 · 16쿠데타의 '공신'이라 할 장교들을 회의장에서 볼 수 있었다. 현역 군인 20여 명이 국정 최고기관을 장악하던 그 암흑기는 살벌하고 음침하기만 했다. 영관급 장교들조차 거만한 표정으로 장차관들에게 호통을 치기도 했다."**

---

* 앞의 책, 47쪽.
** 《자서전》, 64쪽.

1963년 여름에 서울지검으로 전보되었다. 이렇다할 배경이 없는 그가 일선 검사들이 가장 원한다는 서울지검으로 발령이 난 것은 법무부에서의 능력이 평가된 것이다. 서울지검 관하 여주지청의 지청장의 사고로 지청장 직무대리로 한 달 동안 여주에서 지내기도 하였다. 얼마 후 그는 망설이지 않고 사표를 냈다. 검사생활 5년 만이다.

　　"1965년이 되자 검사를 그만두고 싶은 생각이 점차 커졌다. 아무리 생각해도 유능한 검사로서 나라에 이바지할 자신이 없었다. 그리고 성격상, 사람의 죄책을 추궁하는 것보다는 억울한 사람을 옹호하는 변호 활동이 적성에 맞을 것으로 생각되었다. 물론 법조 경력도 낮은 초년 검사로서 변호사 개업을 한다는 것이 만만한 모험은 아니었지만, 그래도 결단은 빠를수록 좋다는 결론에 이르렀다. 그리고 사표를 냈다. 상부에 내 심정을 거듭 말씀드렸다. 마침내 한 달 후에 나는 소원대로 검사 옷을 벗고 나왔다. 검사 임관 5년 만의 일이었다."*

---

* 앞의 책, 66쪽.

제 3 장
변호사의 길

검찰의 흑역사와 현재진행형

5·16 군사쿠데타로 세상이 아무리 군부지배 체제가 되었다고 해도 검사는 여전히 막강한 권력의 위상에 있었다. 20대의 새파란 검사에게 '영감님'이란 호칭이 따라붙고 경찰을 수족처럼 부렸다.

우리나라 검찰의 흑역사는 길고도 잔혹했다. 일제강점기 독립운동가들을 괴롭히던 친일검사들, 자유당 시절에 설치던 '반공검사'들, 그리고 역대 독재정권과 그 아류 부패정권에서 정치재판의 주역은 검사들이었다.

이승만의 조봉암 죽이기의 사법살인, 박정희의 조용수 처형과 《민족일보》 폐간, 인혁당 8인 처형, 전두환의 김대중 내란음모날조사건 등 패악이 자행되었고 검사들이 그 수족노릇을 했다. 민주화운동이나 통일운동을 적대시하여 공안의 칼날을 휘둘렀다.

"성공한 쿠데타는 처벌할 수 없다"는 망언을 서슴지 않았고, 민주 인사들에 대한 고문도 일삼았다.

검사는 임관할 때 "불의의 어둠을 걷어내는 용기 있는 검사, 힘 없고 소외된 사람들을 돌보는 따뜻한 검사, 오로지 진실만을 따라가 는 공정한 검사, 스스로에게 더 엄격한 바른 검사가 될 것"을 선서한 다. 검사들이 초임 때의 순정한 마음으로 다짐했던 '선서' 대로만 직 무를 수행하면 우리 사회는 공정과 상식의 사회가 이루어질 것이다.

다른 직종과 마찬가지로 검찰에는 정의롭고 양심적인 검사들도 많다. 다만 일부 권력지향, 해바라기성 검사들 때문에 전체가 도맷금 으로 욕먹는다. 한승헌은 검찰의 공정성과 중립성 훼손에 대해 오래 전부터 크게 우려하였다.

"요즘 법조인들이 정계에 많이 나가는데, 그것 자체가 문제 될 건 없으나, 왜 나가기만 하면 주구처럼 변질되는지 안타깝다. 법조인이 정계에 많이 진출하면 법치주의가 그만큼 증진돼야 할 것 아닌가? 검 찰 행태가 제일 심각하다. 검찰의 중립과 독립은 당대의 권력에 대해 독립적 판단, 위정자에게 불리한 판단도 할 수 있느냐의 여부에 달려 있다. 그런데 근자에 권력에 불리하다 싶은 것을 건드리는 수사관들이 모조리 찍혀 옷을 벗는 상황은 검찰이 권력의 도구로 전락하고 있다는 얘기인데, 그건 검찰은 물론 집권세력에게도 결코 좋은 일이 아니다."[*]

* 〈'법조 55년' 선집 낸 한승헌 변호사〉, 《한겨레》, 2013년 11월 18일.

하지만 이 같은 우려는 '호랑이 담배 피우던' 시절의 고사가 되었다. 검찰총장 출신이 대통령이 되고 국정의 주요 포스트에 검사(출신)들이 배치되면서 바야흐로 검찰공화국 시대가 열렸다.

"검찰은 무소불위의 권한을 독점적으로 휘두르고 있다. 검찰이 독점하는 기소권은 어떤 통제도 받지 않고, 검찰 맘대로 쓸 수 있는 권한이다. 죄가 없는 게 뻔해도 기소할 수 있고, 죄가 많아도 기소하지 않을 수 있다. 검찰 처지에서 무서울 건 없다. 여론이 빗발치면 잠시 호흡을 고르면 그만이다. 국회와 언론은 물론, 국민도 별로 신경 쓰지 않는다. 바로 힘을 가진 사람들만 누리는 특권이다. 어떤 일이 있어도 형사처벌을 받지 않는다는 뒷배에 대한 믿음 때문이다. 법은 만인 앞에 공평하지 않다. 검사들 앞에서라면 더욱 그렇다."*

검찰개혁이라는 오랜 숙원은 문재인 정부에서 공수처의 출범 등으로 시행되었으나 정권교체로 그 기능이 크게 약화되고 '검찰개혁'은 다시 시대적 과제로 남겨졌다. 한승헌은 소왕국 군주와 같은 검사직을 5년 만에 미련없이 내던지고 나왔다.

---

* 오창익, 〈한동훈 장관, 그 자신감의 원천은〉, 《경향신문》, 2022년 9월 16일.

사법의 흑역사 을사오적이 판사 출신

우리 국민에게 판사 · 검사 · 변호사의 이른바 '사' 자 돌림의 감투는 많은 사람이 원하면서도 다수는 멀리하고자 한다. 왜 일까.

서구의 근대적 사법정신이 '정의의 저울'로 상징된다면 우리의 경우는 부끄럽게도 을사5적에서 기억된다. 1905년 을사늑약에 서명한 매국노 5적이 모두 판사 출신이었다. 학부대신 이완용은 평남과 전북 재판소 판사, 외부대신 박제순은 평리원(平理院) 재판장서리, 군부대신 이근택은 평리원 재판장, 내부대신 이지용은 평리원 재판장과 법부대신, 농상공부대신 권중현은 평리원 재판장 서리를 각각 역임했다.

우연일까 아니면 다른 어떤 공통점이 있었을까, 어째서 애국심과 공정을 생명으로 삼아야 할 조선왕조 말기의 판사와 재판장 출신들이 하나같이 일제에 주권을 넘기는 을사늑약에 도장을 찍은 매국행위를 자행했을까, 평리원은 고종이 의금부를 고등재판소로 개칭했다가 바뀐 사법기관이다. 을사늑약 뒤 순종이 다시 공소원과 대심원으로 나누어 같은 명칭을 붙였다. 우리나라의 근대적 사법기관의 효시라 할 수 있다.

을사오적은 병탄 뒤 일제로부터 높은 작위와 막대한 은사금을 받고 그들의 후예와 추종자들은 일제강점기 기득권층이 되었다. 해방 후 사법부 수장을 비롯 판검사 · 변호사 중에는 친일부역자가 너무 많았다. 그리고 그들은 청산과 반성의 과정없이 오롯이 이승만 정권으로 이어졌다.

앞에서 소개한 대로 이승만의 조봉암 사법살인, 박정희의 인혁당 관련자 처형, 전두환의 김대중 내란음모날조사건 등은 모두 판사(대법관)들이 하수인 역할을 하였다. 우리 사법부는 독재정권에서는 칼잡이가 되고 부패정권과는 유착했다.

한승헌이 지적한 이른바 '정찰제' 판결을 비롯 검사 논고와 판사 판결문이 복사판이 되는 '자판기판결' 사례도 수없이 많았다. 양심수들이 정보기관과 검찰에서 당한 고문을 법정에서 호소할 때 판사의 외면이 가장 가슴 아팠다는 증언이 수두룩하다. 마침내 박근혜 정부에서 사법농단이 폭로되고 촛불혁명을 불러왔다. 재판이 아닌 '거래'가 횡행했었다.

촛불혁명 이후에도 국민의 법감정이나 상식에 동떨어진 판결이 물결친다. 사법부는 여전히 국민의 신뢰와는 동떨어진 상태다. 법관 중에는 정의롭고 양심적인 이들도 많다. 예전에도 그랬을 것이다. 그럼에도 침묵하거나 외면하면서 사법부는 바뀌지 않았다. 민주주의 근간인 사법부의 제도적 독립은 오래 전에 이루어졌는데 독립의 생명인 공정성이 부족하기에 여전히 불신의 대상이 된다. 어디까지나 공정성은 내부구성원들의 몫이다.

판사는 임관할 때 "헌법과 법률에 의하여 양심에 따라 공정하게 심판하고 법관 윤리강령을 준수하며, 국민에게 봉사하는 마음가짐으로 직무를 성실히 수행"할 것을 선서한다. 법관과 검사들이 초임 때의 순정한 마음으로 다짐했던 '선서'대로만 직무를 수행하면 공정사회가 가까워질 것이다. 그래서 사법권은 독립에 못지않게 공정이 생명이다. 판사들이 법조귀족(과 신성가족)이 아닌 정의와 신뢰의 상징이 되는 사법개혁이 요구되는 이유다. 자율개혁이면 더욱 좋을 것이다.

제 4 장

시국사건 전담
변호사로

시국사건 100여 건의 장정에 나서다

　판·검사의 흑역사에 비해 변호사에 대한 인식은 다르다. 일제강점기 김병로·이인·허헌 등 민족주의 계열 변호사들은 엄혹한 상황에서도 독립운동가들을 변호하고, 이승만·박정희·전두환의 폭정에 맞선 이병린·이돈명·강신옥·한승헌·조영래·박원순 등 반독재 민주화 진영의 '인권변호사들'의 활동이 있었기 때문일 것이다. 최근에 변호사 숫자가 많아지면서 별의별 유형의 율사들이 나타나 시민들의 눈살을 찌푸리게 한다. 역시 어느 직종에나 있는 별종들이다.

　한승헌은 권세보다 정의로운 일을 하고자 했다. 그래서 능력을 인정받고 탄탄한 검사의 길을 떠나 재야 변호사를 택한다.

"검사 경력 5년 정도로 변호사 개업을 하는 것은 당시로서는 상당한 모험이었다. 주위에서 걱정해주시는 분들도 있었다. 오죽하면, 검찰의 고위직 한 분은 퇴임 인사를 하러 간 나에게, 변호사 하기 힘들면 다른 생각 말고 자기한테 전화 한 통만 하고 다시 돌아오라고까지 하였을까.

나의 변호사 전신(轉身)은 비록 화려하지는 않았지만, 내 나름으로는 의미 있는 결단이었다. 고액의 보수가 묻어오는 큰 사건이나 흔히 말하는 전관예우는 구경도 못했지만, 그러나 나는 자신의 선택에 높은 점수를 주고 있었다."[*]

군사정권 시기 재야 법조인의 길은 평탄하지 않았다. 여느 변호사들처럼 기름진 양지를 택하면 돈이 쏟아지지만 힘없고 억울한 사람들의 음지는 그야말로 황량한 벌판이었다.

"애환과 보람이 묻힌 직업이다. 인생의 아우성과 곡절을 피부로 실감하는 직업이다. 평온하고 잘 되는 일로 찾아오는 사람은 없다. 무슨 변이 일어나야 찾아오는 직업이다. 남의 싸움, 남의 궂은 일을 가로맡아 처결하는 일이 얼마나 큰 고뇌를 수반하는가는 말로 다 할 수가 없다. 거짓말이나 술수가 황하처럼 항시 범람하는 지대에서 남을 부축해 주어야 한다."[**]

___

[*] 《자서전》, 66쪽.
[**] 한승헌, 《법창에 부는 바람》, 70쪽, 삼민사, 1986.

변호사가 된 그는 이후 40여 년 동안 시국사건을 주로 맡았다. 여기에 적용된 사건과 법규는 국가보안법 위반, 반공법 위반, 간첩사건, 대통령긴급조치 위반, 집회시위에 관한 법률 위반, 내란예비음모, 폭력행위 등 처벌에 관한 법률 위반 등이다. 대부분 독재정권이 조작하거나 정치적 위기를 넘기고자 침소봉대한 시국사건이었다.

반대자나 비판적인 지식인들에게 빨갱이라는 너울을 씌우고 어용화된 검찰과 사법부를 통해 반국가사범으로 단죄하는 형식의 재판이다. 이 같은 사건 100여 건을 맡아 변론하였다. 하나같이 피고인들은 억울하고 분통하는 시국사건으로 사법절차는 형식일 뿐이고, 이미 유죄로 작정된 사건이어서 재판에서 승소란 불가능했다. 그래서 그가 변호한 사건은 대부분 패소했으나 그럼에도 피고인들(과 그 가족)은 다투어 그에게 변론을 맡긴다. 그가 맡았던 100여 건의 사건은 1970년대 이후 한국현대사의 정치·인권·통일운동의 핵심에 속한다.

"특히 암울했던 1970년대와 80년대의 군사독재 아래에서는 교수와 교사들이 교단에서 쫓겨나고 언론인들의 붓이 꺾이면서 이른바 해직교수, 해직언론인이 양산되고 많은 학생들이 학원에서 쫓겨났습니다. 이 혹독한 시절에 반독재운동의 현장에 섰다가 구속된 노동자─농민─학생─지식인들을 변호하는 인권변호사가 탄생했고, 그들 자신이 권력의 횡포에 의해 변호사 자격을 빼앗기거나 구속되기도 했습니다. 어두웠던 시대를 헤쳐나간 자랑스러운 역사의 이면에는 그만큼 많은 희생이 따랐음을 잊을 수 없습니다.

1970년대, 80년대의 어두운 역사를 밝고 보람찬 역사로 바꾸어가는 과정에서 누구보다도 큰 역할을 한 법조인의 한 사람이 한승헌 변호사임은 아무도 부인하지 못할 것입니다."*

그는 향후 40여 년 동안 100여 건의 시국사건이란 무거운 짐을 지고 골고다 언덕을 오른다. 뒷날 자신이 변론했던 피고인들과 같은 죄목으로 구속되고 변호사 자격조차 박탈되는 고난을 겪는다.

"나의 용기나 능력과는 무관하게 다만 정권차원의 시국사건을 맡고 나서는 변호사가 드물었던 탓으로 나마저 변호를 외면하거나 거절할 수가 없었던, 말하자면 '부득이' 때문에 변호인이 되었던 것이다. 그러다보니 법정에서도 압제자인 집권자를 비판하지 않을 수 없게 되었는가 하면, 나 자신이 피고인석의 인사들로부터 감화·감염되는 일면도 있었다."**

---

* 강만길, 〈변론사건 실록, 감사합니다〉, 《한승헌변호사 변론사건 실록(1)》, 19쪽, 범우사, 2006. (이후 《실록》 표기)
** 《정치재판의 현장》, 56쪽.

시국사건 변론 1호 남정현 소설 〈분지〉

그가 변호사를 개업한 1965년은 박정희 정권이 야당과 다수 국민의 대일굴욕회담 반대에도 불구하고 공화당 단독으로 협정 비준안과 베트남 파병안을 국회에서 변칙으로 통과시키고, 학생 시위가 계속되자 무장군인이 고려대와 연세대에 난입한데 이어 서울 일원에 위수령(衛戍令)을 발동했다.

7월 9일 한국문인협회가 주축이 된 문인 82명은 5개항으로 된 성명서를 통해 "우리는 조국의 비운과 민족의 불행을 초래하는 이 매국 망국적인 악조약의 완전 파기를 위하여 전체 국민의 단결과 궐기를 호소하며, 역사의 대도와 민족의 정론에 입각하여 민족의 자주 자존과 국가의 영원한 주권과 국익의 옹호를 위해서 투쟁하는 문화전선의 대열에 적극 참여할 것을 엄숙히 선언한다"고, 박정희 정권의 굴욕적인 한일협정에 정면 도전하고 나섰다.

이 날 남정현은 구속되었다. 문인들이 한일협정에 반대하고 나선 날에, 그것도 4개월 전에 발표된 작품 〈분지〉(糞地)를 뒤늦게서야 문제 삼아 구속한 것이다. 남정현이 단편소설 〈분지〉를 발표한 것은 그해 《현대문학》 3월호였다.

그런데 이 작품이 북한노동당의 기관지인 《조국통일》 5월 8일자에 전재되어, 작품이 발표되었을 당시 아무런 문제가 없었다가 북한 선전기관에 의해 전재가 됨으로써 새삼스럽게 문제를 삼았다.

중앙정보부에서 수사를 받은 남정현은 며칠 후 반공법 위반 혐의로 서울지검 공안부로 송치되었다. 남씨에게 적용한 반공법 4조 1항은 "반국가 단체나 그 구성원 또는 국외의 공산계열의 활동을 찬양·고무 또는 이에 동조하거나 기타의 방법으로 반국가 단체를 이롭게 한 자는 7년 이하의 징역에 처한다"는 내용이었다.

그러면 이 작품이 어떤 내용이기 때문에 이토록 엄청난 죄명을 씌워야 했는가? 줄거리를 요약해 본다.

홍길동의 비법과 정신을 이어받은 그의 10대손 홍만수는 어머니와 여동생 분이와 함께 8·15 해방을 맞이한다. 어느날 어머니는 밤새 만든 태극기와 성조기를 들고 무슨 환영대회에 나갔다가 미군에게 강간을 당하여 정신적 충격을 받고 미군을 저주하면서 미쳐 죽는다.

어머니를 여읜 만수와 분이는 독립투사인 아버지를 기다렸으나 돌아오지 않자 가난한 외가에 의탁, 성장하게 되었다. 그러던 중 6·25를 만나 가족들과 뿔뿔이 흩어진 채 군에 입대한 뒤 몇 년 만에 고된 군복무를 마치고 제대하게 되었다. 그러나 만수 앞에는 걸식과 방황이 기다리고 있을 뿐이었다. 굶주림 속에 하루하루를 보내던 만수는 어느 날 우연히 동생 분이를 만나게 된다.

그런데 분이는 미군 스피드 상사의 정부 노릇을 하면서 동거생활을 하고 있다고 했다. 만수는 분이를 붙들고 어머니를 부르며 목놓아 울었다. 그러나 아무런 능력이 없는 그는 분이 집에 얹혀살면서 미군 물품 장사로 연명한다.

스피드 상사는 밤마다 분이를 미국에 있는 본처에 비하면서 입에 담지 못할 욕설과 폭언으로 못 견디게 학대한다. 그러던 어느 날 마침 스피드 상사의 부인 비취가 미국에서 남편을 찾아 왔다. 만수는 한국의 산하를 안내하겠다고 비취 부인을 향미산으로 유인하여 겁탈해 버린다.

이 사건을 알게 된 미국의 펜타곤 당국은 크게 격분하여 미군부인을 강간한 한국인 홍만수를 주살키 위하여 3억 불을 들여 만든 1만여의 각종 포문과 미사일, 그리고 전 미군 중에서도 가장 정예사단을 투입, 만수가 숨어 있는 향미산을 포위한다.

그러나 10대조 홍길동의 비상과 정신을 이어받은 홍만수는 조금도 겁내지 않고 '예수의 기적'밖에 모르는 이방인들에게 홍길동의 엄청난 기적을 재연하여 그들의 심령을 뿌리째 흔들어 놓겠다면서 어머니에게 몇 번이고 다짐한다.*

이 같은 내용이 반공법 4조 1항 위반이라는 검찰의 주장이다. 남정현은 검찰에 송치되어 보름 만에 구속적부심에서 "도주 및 증거 인멸의 우려가 없다"는 이유로 석방되었다. 남씨는 석방은 되었으나 사건이 해결된 것은 아니었다. 서울지검 공안부 김태현 부장검사는 1년여의 조사 끝에 남씨를 반공법 위반으로 정식기소했다.

한승헌은 소설가 안동림을 통해 이 사건의 변호인이 되었다. "터무니없는 용공혐의에 짓눌린 한 작가의 수난을 외면할 수 없다는 생

---

* 김삼웅, 《한국필화사》, 163~164쪽, 동광출판사, 1987.

각에서 검찰에 변호인 선임계를 냈던 것이다."* 이로써 그는 시국사건 변호의 첫발을 내딛게 되었다.

재판이 진행되고 증인신문이 있었다. 한승헌은 원로작가 안수길과 문학평론가 이어령 등을, 검찰은 특수신분의 관변 인사들을 증인으로 내세웠다. 안수길은 "미국의 존 스타인벡은 《분노의 포도》를 써서 나치독일의 반미선전에 크게 이용당했지만 이 작가가 법정에 선 일은 없다"고 하여, 〈분지〉가 북한 잡지에 전제되었다고 해서 작가를 처벌하는 것은 부당하다고 증언하였다. 이어령은 검사의 "나는 이 소설을 읽고 놀랐는데, 증인은 용공적이라고 보지 않는가?"에 대해 "나는 놀라지 않았다. 병풍 속의 호랑이를 진짜 호랑이로 아는 사람은 놀라겠지만, 그것을 그림으로 아는 사람은 놀라지 않는다"고 명쾌하게 증언하여 검사의 기를 꺾었다.

한승헌은 다음과 같은 요지로 변론하였다.

"매사를 용공으로 착색하는 것이 반공의 길인 것처럼 착각해서는 안 되며, 반공이란 명분 아래 국민의 기본권이 부당하게 침해당하는 일이 있다면 본말전도의 역설이 될 것이다. 문학의 본질과 기법에 대한 이해가 없이 특수한 신분을 가진 사람들의 색맹인 단견으로 작품을 용공시해서는 안 된다.

〈분지〉는 반미, 반정부적 소설이 아니다. 이 소설에 한국사회의 어두운 면이 묘사되었다 하더라도 반국가 단체의 주장에 동조한 것으

---

* 《자서전》, 69쪽.

로 볼 수는 없으며, 반공법 제4조의 모호한 규정을 확대 적용한다면 국민의 기본적 자유를 본질적으로 침해할 위험이 있다. 한 작가의 '분지(憤志)'를 곡해함은 '분지(焚紙)'의 위험을 초래할 뿐이다."*

그해 6월 28일 열린 1심 판결의 주문은 '형의 선고유예'였다. 피고인 측은 항소를 했으나 기각되고, 사법부에 기대할 여지가 없다고 판단하여 상고를 하지 않았다.

---

* 《실록(1)》, 123쪽.

동백림사건 이응로 화백 부부 변론

독재자가 정치적 위기에 몰리거나 대국민 속임수가 필요할 때이면 어김없이 꺼낸 카드가 있다. 희생양 만들기다. 한승헌이 변호사로 활동하던 시기 즉 박정희 · 전두환 · 노태우 정권시기에 특히 극심했다. 쿠데타로 정권을 탈취한 박정희의 목표는 장기집권이었다. 1967년 재선에 성공한 그는 자신이 만든 헌법에 '3선금지 조항'을 삭제하기 위해서는 같은 해 6월에 실시하는 제7대 국회의원 총선에서 개헌선을 넘는 의석이 필요했다.

총선은 3 · 15 부정선거를 뺨치는 관권개입 · 금품수수 · 선심공세 · 향응제공 · 유령유권자조작 · 대리투표 · 공개투표 · 야당참관인 폭력행사 등이 거침없이 자행되었다. 공화당은 개헌선(117명)을 훨씬 넘는 130석을 얻고, 신민당은 44석에 불과했다. 신민당은 전면 재선거를 요구하며 등원을 거부했다.

여기에 같은 해 5월에 발생한 세칭 '복지회사건'은 권력내부에서 금기시된 후계문제가 김용태 등 친 김종필계 의원들에 의해 추진되다가 드러났다. 위기는 집권세력 내부 분란까지 겹치게 되었다. 6 · 8부정선거 규탄시위가 거세게 일어나자 정부는 6월 15일 전국 28개 대학과 57개 고등학교에 휴교령을 내렸다. 7월 3일에 1만 4천여 명의 대학생이 다시 부정선거 규탄시위를 벌이고 일부 시민들도 합세하였다. 박정희 정권 최대 위기에 내몰렸다.

중앙정보부는 7월 8일 '동백림 거점 북괴대남 공작단사건'이라는 어마어마한 공안사건을 발표했다. 104명이 연루되었다. 구속인 중에는 서독 거주 작곡가 윤이상, 파리 거주 화가 이응로, 서울대 조교수 강빈구, 서베를린대학 박사과정 임석훈 등 다수의 예술인 · 유학생들이 포함되어 국내외적으로 크게 관심을 모으고 파문을 일으켰다. 구속 기소된 사람이 34명이고 한승헌은 이응로 화백 부부의 변론을 맡았다.

"이 화백은 6 · 25 때 행방불명된 아들이 북한에 살고 있다는 소식을 듣고 그 혈육을 만나게 해준다는 북한측 공관원의 말에 따라 동백림(東伯林, 통일 전 동독의 수도 동베를린)에 갔다가 헛걸음만 하고 돌아왔는데 뜻밖에도 국가보안법 위반으로 묶인 몸이 되었다.

그는 구치소에서의 첫 번째 변호인 접견 때 "내가 평양이 아닌 서울에 와서 이런 수모를 겪을 수가 있느냐"며 몹시 분개했다. 박정희대통령 중임 경축식에 해외에서 국위선양을 한 유공자로 초대한다기에 따라왔는데 그처럼 대통령의 이름까지 판 속임수가 더욱 괘씸하다며 분을 삭이지 못했다."*

정보부 요원들은 박정희 대통령의 중임 경축식에 초대하는 것처럼 속여 해외 유력 한인들을 귀국시켜서 법정에 세웠다.

12월 13일 오전에 열린 1심 선고공판에서 재판부는 조영수(34 · 전외국어대 강사 · 정치학박사), 정규명(프랑크푸르트대학 이론물리학 연구원) 두

---

* 한승헌, 《분단시대의 법정》, 29쪽, 범우사, 2006.

사람에 대하여 간첩죄 등을 적용하여 사형을 선고하였고 사형이 구형된 윤이상 씨에겐 무기징역을, 무기징역이 구형된 이응로 씨에겐 징역 5년을 선고했다. 그밖의 피고인들에게도 중형이 떨어졌다.

항소심 법정에서 한승헌은 "65세 노인더러 5년 징역을 살라니 우리의 평균 수명에 비추어 무기징역과 무엇이 다르냐. 1심 판결은 사실상 검사의 구형량과 똑같은 것이어서 부당하다"고 따졌다.

그런 변론의 효험 때문이었는지는 알 수 없으나 항소심에서는 2년이 줄어든 징역 3년이 선고되었다(이 화백은 구속 2년반 만에 형집행정지로 석방되어 파리로 돌아갔다).*

한승헌은 김재옥 변호사와 함께 이응로 화백의 〈상고 이유서〉에서 다음과 같이 제시하였다.

"피고인은 한국이 낳은 불세출의 예술가로서 세계 화단에 알려진 거성이었을 뿐더러 본건 소유의 발단이 또한 원 판결도 긍인(肯認)한 바와 같이 아들 문세의 근황을 알고자 한 데 있을 뿐이요, 달리 본건 소위를 통하여 그밖에 또 무엇을 노렸을 리가 없었음이 분명하거늘, 그와 반대로 볼 무슨 사정이 없는 본건에 있어서 이적의 정을 알았다고 획일적으로 단정함은 일종의 억측에 상사(相似)한 추리이며, 전후가 당착되는 이유의 모순이라 아니할 수 없습니다."**

---

* 앞의 책, 30쪽.
** 《실록(1)》, 161쪽.

〈귀천〉의 시인 천상병 변론

그의 시국사건 변론사에 〈동백림 간첩단 '장외' 사건〉이라는 좀
색다른 명칭의 사건이 들어 있다. 동백림사건에 엉뚱하게 연루된 천
상병 시인을 두고 한승헌은 이렇게 표기한 것이다.

천상병은 몰라도 그의 〈귀천(歸天)〉이란 시는 많이 알 것이고, 서
울 인사동 골목에 동명의 식당은 더 많이 알려져 있다.

　　귀천

　나는 하늘로 돌아가리라
　새벽빛 와 닿으면 스러지는
　이슬 더불어 손에 손을 잡고,
　나 하늘로 돌아가리라
　노을빛 함께 단둘이서
　기슭에서 놀다가 구름 손짓하며는,

　나 하늘로 돌아가리라
　아름다운 이 세상 소풍 끝내는 날,
　가서, 아름다웠더라고 말하리라.

"거무스레한 얼굴에 자주 껌벅이는 눈, 더듬거리는 말, 줄담배와 폭음, 애교 섞인 용돈 수금(?) 등으로도 고은·김관식과 함께 한국문단 3대 기인으로 불릴 만했다"*는 기인 행각의 시인 천상병을 중앙정보부는 동백림사건의 피의자로 몰아 구속했다.

한승헌이 이응로 화백의 변호를 맡아서 서울구치소 접견을 다니고 있었는데, 34명의 피고인 중 유독 그만이 변호인이 붙지 않았다. 생업이 없었고 천진스런 행동으로 누구에게나 악의 없이 손을 내밀고 "천 원만"을 얻어 근근이 살아가던 처지여서 달리 변호사를 대거나 접견 올 사람이 없었다.

문인들과 교제가 많아 문단 쪽에 발길이 잦았던 한승헌은 천상병과는 아는 사이였고 그의 남다른 시재도 꿰고 있었다. 자청해서 변호인이 되었다. 그는 서울상대 출신이지만 세상에 나서기를 원치 않았던 기인이다.

"공소장대로라면, 사건이 터지기 4년 전인 1963년 10월 초순 어느 날 저녁, 그(천상병)는 서울 명동 유네스코회관 뒷골목에 있는 대포집에서 강빈구 씨와 술을 마시고 있었다. 그때 강씨가 자신을 동독과 동백림 등 적성국을 왕래하였다는 말을 하면서 난수표와 출판사 이야기를 하던 끝에, 여의치 않으면 한국에서 고생하지 말고 동독에 갈 생각이 없느냐는 권유를 하더라는 것이다.

그것이 무슨 범죄라고 공소장에 들어가 있는가 하고 생각할 사람

---

* 앞의 책, 173쪽.

이 많을 것이다. 그러나 공소장에 의하면, 그것은 '동인(강빈구)이 반국가 단체인 북괴의 구성원으로 그 목적수행을 위하여 암약중인 간첩이라는 점을 인지하였음에도 불구하고 이를 수사정보기관에 고지치 아니하고……'라고 해서, 말하자면 반공법상의 불고지죄를 범했다는 것이다. 참 무서운 법이었다."*

천 시인에 대한 공소장은 반공법 외에 형법상의 공갈죄가 포개졌다. 검찰은 그가 '생업'으로 지인들에게 "천 원만" 하고 얻어 쓴 돈을 협박하고 갈취한 것으로 몰았다. 다음은 공소 사실 제3항이다.

1965년 10월 경부터 1967년 6. 25까지 사이에 같은 방법으로 동인을 협박, 동인으로부터 1주일에 1, 2회씩 서울 명동소재 금문다방, 송원기원 등지에서 주대 100원 내지 500원씩 도합 금 30,000 가량을 교부받아 이를 갈취하고…….

여기서 '동인(강빈구)'은 천상병의 서울상대 동기생으로 동백림사건의 피의자로 구속된 인물이다.

절친한 대학친구를 간첩으로 신고하겠다고 협박하여 2년 동안 매주 1, 2회씩 처음엔 6,500원을, 그 다음엔 100원 내지 500원씩 갈취했다는 것이다. 2년도 채 안 되는 동안 매주 한두 번씩 상습적으로 뜯어낸 돈의 합계가 36,500원이라? 간첩신고 협박에 100원씩, 많아야 500

* 앞의 책, 174쪽.

원을 갈취했다? 이것은 코미디였다.

천 시인은 정보부에서 세 차례나 전기고문을 당해 혼절한 상태로 조사를 받고, 재판부는 징역 1년에 집행유예 3년을 선고했다. 그는 사법부에 기대할 것이 없다면서 항소를 포기하였다. 다시 거리로 나선 그는 고문 후유증이 겹쳐 행려병 환자로 입원하고 간호사이던 목순옥 씨와 만나 1972년 결혼하였다. 부인이 인사동에 찻집 〈귀천〉을 열면서 지인들에 대한 '수금'은 그치고, 아내에게 하루 2천원씩 용돈을 타 쓰며 시를 짓다가 '귀천'하였다.

"석방된 천 시인은 나의 사무실로 인사를 와서 저녁을 사겠다고 했다. 그때 '빈자일등'이란 말도 했다. 물론 나는 그를 위로할 겸 그에게 저녁 대접을 했다. 나중에 문단 친구들에게 천 시인이 식사를 제의했던 이야기를 했더니, '그가 밥을 사겠다고 했다니, 천상병에게 이 세상에 태어나서 처음이자 마지막 일일 것'이라며 크게 웃었다."*

---

* 《자서전》, 80쪽

통혁당사건 '조연급' 3인 변호

1968년 여름 중앙정보부는 통일혁명당사건(통혁당)이라는 어마어마한 내용의 반국가 조직을 발표했다. 공소장에 따르면 통혁당은 1964년 3월에 베트콩식 연합전선조직인 민족해방통일전선을 목표로 조직되었으며 무장봉기, 주요시설 파괴, 정부요인 암살 등의 방법으로 대한민국 정부 전복과 공산정권 수립을 꾀하면서 북괴로부터 자금까지 받았다는 것이다.

김종태를 수괴로 하고 김진환(43세 · 청맥사 사장), 김질락(34세, 경남일보 논설위원), 신영복(28세, 육사교관), 임중빈(29세, 문필가), 박성준(28세, 서울대 상대4년생), 이문규(학사주점 대표), 이재학(34세, 대한교육보험홍보과장), 김상도(54세, 김종태의 형, 전 국회의원) 등 엘리트층이 들어 있어서 세상을 놀라게 했다. 구속 기소된 사람이 39명에 이르렀다.

당시《청맥(靑脈)》이란 월간지는 참신한 편집으로 지식인들 사이에 꽤 알려지고 서울 무교동의 '학사주점'은 청년엘리트의 단골술집이어서 그만큼 사회적 충격과 파문이 컸다.

통혁당의 '수괴'로 지목된 김종태는 간첩 김수상과 만나 임자도를 거쳐 배편으로 전후 네 차례에 걸쳐 북한을 왕래한 사실을 시인하였다. 그리고 북한에서 갖고 온 자금으로《청맥》지를 발간했다는 공소사실도 부인하지 않았다.

그러나 청맥사 사장 김진환은 김종태로부터 받은 돈으로《청맥》 지를 통권 28호까지 발행한 사실은 시인하였으나, 김종태가 북의 지령을 받은 간첩이라는 사실은 전혀 몰랐다고 부인했다. 당시《청맥》지나 학사주점은 지식인층이나 젊은 세대들 사이에 상당히 알려져 있었고 관심의 대상이었기 때문에 그것들이 북한의 자금과 연계되어 있다는 검찰의 공소사실에 당혹스러움을 금치 못했다.*

한승헌은 피고인 중 조연급인 노인영 · 허정길 · 박경호의 변론을 맡았다. '수괴' 급은 친북활동을 한 사실을 법정에서 시인했으나 '조연급'은 억울하게 얽힌 사람들이었다.

"내가 변호를 맡은 노인영, 허정길, 박경호 씨 등은 사건 전체로 보면 조연급에 불과했다. 그만큼 더 억울한 처지였다. 젊은 지식인다운 정의감과 현실비판 의식 및 그에 입각한 언행들이 어이없게도 반국가적 행위로 조작되었다. 독서회나 경제복지회 등 학구적 모임을 반국가 단체로 몰았는가 하면, 학우 · 친지들 간의 만남과 담론은 국가보안법상의 회합, 동조에 불고지죄까지 뒤집어씌웠다. 서로 책을 빌려본 것조차도 이적행위로 기소되었다. 그들은 물론 법정에서 그런 공소사실을 한결같이 부인했지만 아무런 소용도 없이 중형을 받고 말았다."**

---

* 《정치재판의 현장》, 109쪽.
** 《실록(1)》, 214쪽.

19명의 변호인들이 각기 피고인들의 변론을 맡았으나 김종태·이문규 등은 사형이 집행되고 대부분 피고인들은 장기형이 신고되었다. 한승헌의 노인영 피고인에 대한 〈항소 이유서〉에서 그가 맡았던 3인의 경우를 살필 수 있다.

항소 이유서

1. 즉, 원판결을 보면 피고인은 독서회와 민족해방 전선과 같은 반국가 단체를 구성하였고 (판시②, ⑲)라고 되어 있으나

   가. 피고인이 신영복과 더불어 독서회를 만든 것은 사실이지만 그것은 어디까지나 독서를 통한 학구적인 절차탁마에 그 본의가 있었던 것이지 결코 정부를 참칭하거나 국가를 변란할 목적으로 만든 반국가 단체가 아니었습니다.

   설령 그들의 모임에서 현실 비판조의 이야기가 나왔다고 해도 이것만으로 국가변란의 목적이 있었다고는 도저히 볼 수 없습니다. 그리고 3인이 서책을 서로 바꾸어 보며 또 다방에서만 만났을 뿐이므로 결사나 집단이라고 볼 수도 없습니다.

   나. 민족해방전선이란 단체는 더구나 만든 일이 없으며 그런 이름도 들어본 일이 없습니다.

   오직 피고인은 전시 신영복, 이수인 등과 자주 만나 여러 가지 담론을 나누곤 하던 차에 신이 우리 서클의 이름을 지어야겠다는 말에 단지 3인이 이렇게 그저 만나는 것인데 무슨 이름이 필요하냐

고 반박했으며 만일 원판결 설시처럼 지하당 운운의 말이 나왔다면 사람의 출입이 빈번한 공개영업장소인 다방같은 데서만 만날 리가 없었던 것입니다.

결국 민족해방전선 운운하는 말조차 논의된 바 없었고 하물며 그런 단체를 구성한 바는 더구나 없습니다. *

---

* 앞의 책, 219쪽.

제 5 장
저항과 시련의 1970년대

김지하 담시 〈오적〉 필화사건 변론

1970년은 그 전해에 어거지로 감행한 3선개헌 파동의 상처가 아직 아물기 전이며, 이듬해로 다가온 대선과 총선이라는 양대 선거를 앞둔 시점이어서 정치·사회적으로 첨예하게 대립하고 있었다. 3선 개헌으로 장기집권의 문턱을 넘어 선 박정희 대통령은 비판세력에 대해 탄압을 가중시켜가면서 특히 비판언론에 재갈을 물리고자 하였다.

《사상계》는 이런 와중에 김지하의 담시(譚詩) 〈오적(五賊)〉을 실은 것이 화근이 되어 자유당 정권 이래 한국 지성계의 양식을 대변해온 공로도 아랑곳없이 끝내 권력의 희생물이 되기에 이른다. 그 부산물로 김지하라는 한 사람의 빼어난 민중시인을 탄생시켰지만.

〈오적〉은 처음 《사상계》 1970년 5월호에 실렸다. 목포 태생의 20

대 후반인 김지하는 당시에는 무명시인에 불과했다. 1941년 목포에서 태어나 서울 문리대 미학과를 졸업, 1969년 《시인》지에 〈황톳길〉 등으로 문단에 데뷔하여 1970년 박정권의 부정과 부패를 신랄히 풍자한 담시 〈오적〉을 발표하여 필화를 입고, 이후 고난의 길에 들어섰다. 그는 이미 6·3사태 당시 대일굴욕외교 반대투쟁에 참가하여 '민족적 민주주의 장례식 조사'를 써서 체포된 경력이 있었다.

〈오적〉이 처음 《사상계》에 실렸을 때에는 시판을 하지 않는다는 조건으로 마무리가 되었다. 그런데 당시 신민당 기관지 《민주전선》 6월 1일자 제40호에 게재된 것이 다시 말썽을 일으키게 되었다. 6월 2일 밤 1시 50분쯤 제1야당 당사에 압수수색 영장이 발부되어 중앙정보부 요원들과 종로경찰서원들에 의해 《민주전선》 10만 7백 부와 옵셋 아연판 4장을 압수하고 김지하를 비롯 부완혁 사장, 김승균 편집장, 김용성 《민주전선》 출판국장을 반공법 위반혐의 등으로 구속하였다.

《민주전선》은 담시 〈오적〉 가운데 군장성을 비판하는 부분 19행을 삭제하고 게재하였다. 그런데도 문제가 되어 당시까지에는 초유인 제1야당 당사에 압수수색 영장이 발부되고 심야에 수사요원들에 의해 당보 편집실이 짓밟혔다.

한승헌은 원로 변호사 이병린과 함께 김지하 변론에 나섰다. 그는 이 사건에 이어 김지하가 인혁당사건과 관련 《동아일보》 기고문으로 다시 구속되자 중정의 협박에도 또 변론을 맡았다가, 해묵은 글을 핑계삼아 반공법 위반으로 구속되는 시련을 겪는다.

한승헌 선생을 생각하면 마음이 아득해지고 눈이 가늘어짐을 느낀다. 아득한 속에 떠오르는 방이 있다. 1970년 〈오적(五賊)〉 필화사건 때 담당검사였던 박종연 씨의 방이다.

그 방에서 한승헌 선생을 처음 만났다. 나는 그때 꽁꽁 묶여 있었는데, 웬 깡마르고 날렵하게 생긴 검은 싱글의 한 신사가 들어와 내 어깨를 툭 치며 말했다.

"김 시인, 나 한승헌 변호삽니다. 내가 사건 맡아서 보호해줄 터이니 안심하시오."

이상한 것은 선생 말대로 그 순간 안심이 되던 거였다. 자신만만하시면서도 세련되고 나긋나긋한 태도, 나를 안심시키기에 충분했다. 선생과의 첫 상면이다.

선생은 재판부 교섭과 꼭지따기의 명수로 알려져 있었다. 과연 그랬다. 재판이 열리고 변호사 반대신문이 진행되자 선생의 그 간결하고 세련된, 그러나 군더더기 하나 없는 유명한 꼭지따기가 시작되었다.

"피고인은 공산주의자입니까?"

"아니오."

"그럼 왜 이 재판을 받게 되었습니까?"

"모르겠습니다."

강타였다. 사건의 실체를 한두 마디 물음으로 요약해 간단히 드러내버리는 거였다.

이어 표현의 자유, 정부의 부정부패, 풍자의 원리, 청백리 사상, 판소리의 현대화 등등 내가 꼭 말하고 싶었던 항변의 꼭지를 약속이나 한듯이 똑똑 따내주었다. 이심전심이라고 생각했다. 아니, 선생의 능력이라고 생각했다. 아니, 선생의 정의심과 자유에의 정열이라고 생각했다. 그것도 아니다. 결국 그것은 선생의 인품이었다.[*]

김지하는 마산 결핵요양소에 입원하였다가, 1974년 민청학련 사건에 연루되어 군법회의에서 〈오적〉 사건도 이송 병합되어 유죄판결을 받았다.

---

[*] 김지하, 〈똑같이 수갑을 찬 피고인과 변호인〉, 《실록(1)》, 259~260쪽.

월간《다리》필화사건 변론

1970년 11월호 월간《다리》는 학생운동을 특집으로 다루었다. 이 특집은 〈학생, 학원, 오늘의 모습〉(남재희), 〈사회참여를 통한 학생운동〉(임중빈), 〈한국 학생운동의 반세기〉(정세현), 〈서구 학생운동의 흐름〉(이영일)으로 꾸며져 있다.

월간《다리》는 당시 국회의원 김상현을 실질적인 경영인으로 하여 발행인 윤재식, 주간 윤형두의 진용으로 그해 9월에 창간되었으나, 창간 3개월 만인 11월 통권 제3호째에 필화를 당하였다.

이 잡지가 출간되어 시판이 된 지 한참 만인 1971년 2월 12일 당국은 김상현, 윤재식, 윤형두 등을 반공법 제4조 1항 위반 혐의로 입건하는 한편, 필자 임중빈도 같은 혐의로 구속하고, 압수수색 영장을 발부받아 논문과 관련된 관계서류 일체를 압수해 갔다.

이 논문의 어디에서도 '적을 이롭게' 한 부분을 찾기 어렵다. 그런데도 당국은 필자를 이적행위로 구속 기소하였다. 서울형사지법 유태홍 부장판사가 발부한 임중빈에 대한 구속영장을 살펴보자.

"프랑스의 극좌파 학생운동인 1968년의 파리 '5월 혁명'에 의한 드골 정권의 타도와 미국의 극좌파인 '뉴 레프트' 활동의 타당성을 전제하면서 우리나라의 학생운동은 그들과 같은 방법으로 하되 문화혁명을 통한 정치혁명으로의 길만이 학생운동의 정도이며 무엇보다도

능동적 참여를 통한 변혁이 필수의 것으로 요청된다고 논단하여 은연중 우리 정부 타도를 암시, 반국가 단체인 북괴를 이롭게 했고, 두 윤씨는 이를 알면서도 게재했다."

검찰이 '이적행위'로 몰아간 배경은 야당의원 김상현이 경영하는 《다리》에 타격을 주고, 야당계열 인사들의 발을 묶는 데 목적이 있었다.

"일부 언론과 식자들은 이 사건에 정치적 계산이 숨어 있음을 의심하기 시작했다. 실제로 그런 조짐은 여러 면에서 드러났다. 문제의 필자 임중빈 씨는 야당 대통령 후보 김대중 씨의 전기를 집필 중이었다. 《다리》를 발행하던 범우사에서는 김대중 후보의 선거용 간행물을 제작하고 있었는데, 그곳 대표(사장)가 바로 윤형두 씨였다. 게다가 《다리》의 발행인 윤재식 씨는 김대중 후보의 공보비서였다. 뿐만 아니라 그 잡지의 고문이자 자금 지원자이기도 한 김상현 의원은 김대중 후보의 핵심 참모로 알려져 있었다. 마침 그 다음 해에 대통령 선거까지 예정되어 있었다. 누가 봐도 대선 경쟁자 측에 대한 탄압이 분명했다."*

한승헌은 1971년 5월 14일에 열린 4회 공판 때부터 이들의 변론을 맡았다. 이 사건의 담당 변호인이 갑자기 사임하면서 본인의 표현대로 '구원투수'로 투입된 것이다.

---

* 《자서전》, 102쪽.

"5월 14일 제4회 공판 때는 대법정에서 좀 작은 법정으로 자리를 옮겼는데 입추의 여지도 없이 방청객들이 가득 찼다. 제3회 공판 때 윤재식 씨의 변호인인 이상혁 변호사 이외의 변호인들이 모두 사임하거나 불참해버려 이번에도 변호사도 없이 재판을 받겠지 하는 막연한 불안감이 있었는데, 뜻밖에도 한승헌 변호사가 나와주셨다. 바로 이분이 '분지 필화사건', 《사상계》의 '오적 필화사건'의 변호인으로 명성이 높던 한승헌 변호사임을 직감적으로 알아볼 수 있었다."*

군사독재 시대 사법부가 권력의 시녀 노릇을 충실히 하였지만 그래도 법관 중에는 정의롭고 양심적인 사람도 없지 않았다.

1971년 7월 16일 우여곡절 끝에 서울형사지법에서 1심 선고공판이 개정되었다. 지검 공안부 김종건·이재명 검사는 반공법, 국가보안법 등을 적용하여 임씨에게 징역 5년, 자격정지 5년을 구형했으나, 목요상 판사는 사건 관계자 전원에게 무죄판결을 내렸다. 목 판사는 문제의 논문은 "헌법상 보장된 언론 자유의 테두리 안에서 민주복지사회의 이념을 확립하는 방향으로 학생운동의 진로를 개척해 나가자고 주장한 것에 불과, 반공법 제4조 1항에 저촉되지 않는다"고 무죄선고의 이유를 밝혔다.

검찰의 항소에 의해 열린 항소심은 1973년 7월 7일 유상호 부장판사에 의해 검찰의 항소를 기각, 1974년 5월 28일에 열린 대법원에

---

* 윤형두, 〈친 김대중계 출판탄압에 이례적 '무죄'〉, 《실록(1)》, 301쪽.

서도 검찰의 상고를 기각하여 무죄를 선고한 원심을 확정하여 이 사건은 3년이 지나서야 '무죄'로 마무리되었다.

이른바 《다리》지 필화사건은 이 나라의 사법부로서나, 변호인이던 나로서나 오래 간직해둘 만한 의미를 남겼다. 반공법 사건치고는 이례적으로 1심에서 대법원까지 3전 전승, 내리 무죄판결이 났다. 용기 있게 소신 판결을 한 1심 판사는 이런저런 시달림 끝에 결국 옷을 벗었다. 나는 그 사건 덕분에 피고인이었던 윤형두 형과 평생의 벗이 되었다. 그 많은 시국사건 재판에서 무고한 사람을 한 명도 살려내지 못했다는 비판에 대하여 《다리》사건을 보시오'라며, '전패'는 아니라는 '샘플'도 보여줄 수 있게 되었다."*

---

* 《자서전》, 101쪽.

재일동포 유학생 간첩단사건 변론

박정희와 그 각료들은 민주공화국의 간판 아래 정치 아닌 위압과 술책으로 시종했다. 위압은 계엄령·위수령·휴교령·긴급조치 등으로, 술책은 마키아벨리즘과 매카시즘으로 나타났다.

권력을 연장하거나 정권에 위기가 도래할 때이면 어김없이 위압책을 쓰고, 선거를 앞두거나 국민 여론이 악화되면 갖은 술책을 동원했다. 양날의 칼을 함께 쓸 때도 많았고, 분리하여 사용하는 경우도 있었다.

1971년 봄에 제7대 대통령선거가 있었다. 1969년 9월 3선개헌을 강행한 박정희는 예상치 못했던 신민당 김대중 후보의 강력한 도전을 받게 되었다. 달변에 연부역강(年富力强)한 김대중은 4대국 보장론을 비롯 각종 공약을 제시하면서 치고 올라왔다. 국민들도 장기집권과 권력형 부패에 정권교체를 바라는 여론이 비등했다.

대통령 선거를 열흘 앞둔 4월 18일, 이 날은 김대중 후보의 장충단공원 유세에 100만 군중이 모여 민심의 동향을 보여주었다. 정부와 공화당은 창경원 등 국립공원과 영화관 무료입장 등 각종 선심책을 썼으나 시민들의 발길을 막지 못했다.

다시 준비된 술책을 꺼냈다. 이번에는 육군보안사령부에서 악역을 맡았다. 중정이나 보안사에는 안보 또는 보안 관련 사건이 쌓여 있었다. 적절한 시점에 한 방씩 터뜨린다. 이번에 나온 카드는 '재일교포

학원침투 간첩단사건'이다. 재일교포로 서울대에 유학 중인 서승·서준식 형제를 간첩죄와 국가보안법 위반혐의로 구속했다고 발표했다. 어용화된 언론기관이 대서특필하고 정국은 공안 분위기로 바뀐다. 국민은 긴가민가하면서도 평정심을 잃게 된다.

"서 씨 형제는 일본 교토에서 출생한 재일교포 청년이었다. 형인 승 씨는 1968년 도쿄에서 대학을 마치고 모국에 유학 와서 서울대 대학원 사회학과 석사과정을 마쳤고, 아우인 준식 씨는 1967년에 일본에서 고등학교를 마치고 역시 서울대 법대에 유학중이었다.

그들에 대한 혐의는 북한의 지령에 의하여 서울대에 지하조직을 만들고 학내 군사교련 반대 및 박정희 대통령 3선 반대투쟁을 배후 조종하고 인민봉기를 선동하여 정부를 타도하려고 획책했다는 요지였다. 또한, 당시 야당의 대통령 후보였던 김대중 씨의 참모인 김상현 의원을 통해 일본으로부터 불순한 정치자금을 전달하였다는 혐의도 들어 있었다. 학생들의 반독재·반박정희 투쟁에 일격을 가하고 김대중 후보에게 용공 음해를 씌움으로써 대통령 선거를 유리하게 만들려는 저의가 분명했다."*

아무리 인권변호사라 해도 '간첩사건'을 맡기는 여간 부담스러운 일이 아니다. 해서 사선 변호사 없이 국선으로 재판받는 경우도 적지 않았다. 한승헌은 이들을 외면할 수 없었다. "나는 서승 씨를 접견하

* 《정치재판의 현장》, 120~121쪽.

려 했으나 당국은 한사코 이를 거부하였다. 서승 씨가 심한 고문으로 얼굴에 화상까지 입었다는 흉흉한 소문이 나도는 데다 외부 사람과의 접견을 일절 금지시켰기 때문에 의혹은 한층 더 증폭되었다."*

　"변호인의 접견권은 민주사회의 기본인데도 이를 지키지 않은 것이다. 한승헌은 서승 씨가 구속된 지 석 달 만에 피의자를 만날 수 있었다. 변호인 접견실이 아닌 의무실이었다. 그는 온몸에 붕대가 감겨 실려 나왔다. 고문을 견디다 못해 취조관이 잠깐 자리를 비운 사이 난로 연료 탱크의 기름을 머리에 붓고 불을 붙여 전신에 심한 화상을 입게 되었다고 했다. 그는 취조관에게 차라리 죽여달라고 몇 차례 애원했으나 고문이 계속되자 자해를 한 것이라고 말하였다.

　날조된 혐의사실을 완강히 부인하였음에도 불구하고 그해 10월 22일에 열린 1심 선고공판에서 서승 씨는 사형판결을 받았고 서준식 씨는 징역 15년을 선고받았다. 항소심에서 서승 씨는 무기징역으로, 준식 씨는 7년형으로 줄었다. 두 사람 모두 상고했으나 1973년 3월 13일 대법원에 의하여 기각된다.

　그들 형제는 몇 군데의 감옥을 옮겨 다니며 수감생활을 하는 가운데 소위 '사상 전향(轉向)'의 강요에 불응하였기 때문에 온갖 고초를 겪었다. 그러나 그들 형제는 끝내 전향을 거부하였다. 형은 무기로 감형되어 19년 간의 감방생활 끝에 미전향수 석방 제1호를 기록하며 1990년 2월에 석방되었고, 아우는 형기 7년을 다 마치고도 미전향자라는

---

* 《실록(1)》, 362쪽.

이유로 사회안전법에 의하여 10년을 감호소에서 더 보내야 했다."[*]

긴 세월 동안 부모의 나라에서 고초를 겪고 일본으로 돌아간 서승·서준식 형제는 〈재일동포 모국 유학생 '간첩' 사건〉이란 글에서 한 변호사에 대해 언급한다. "돌이켜 생각하면, 20여 년 전 아무도 상종하려 하지 않았던 '빨갱이'를 변호해주신 한승헌 선생님도 그 당시 외로운 존재였다. 우리가 기나긴 시련의 세월을 지나 다시 만난 것에서 역사의 커다란 흐름을 느끼지 않을 수 없다."[**]

---

[*] 《실록(1)》, 363쪽.
[**] 앞의 책, 372쪽.

제 6 장

유신정변기의
정치사건

유신의 희생양 김상현 변론

　박정희 대통령은 1972년 10월 17일 군대를 동원하여 국회를 해산 헌법기능을 마비시키고, 정당의 정치활동을 전면 봉쇄하는 사실상의 친위쿠데타를 감행했다.

　박정희는 5 · 16쿠데타를 일으킨 지 11년, 3선 연임 금지의 헌법을 고친 지 3년, 4 · 27대통령선거로 8대 대통령에 취임한 지 1년 반 만에 또다시 쿠데타로 헌정을 짓밟고 독재권력을 강화했다. 이로부터 79년 10월 26일 암살당할 때까지 7년 동안을 1인 군주처럼 군림하면서 전횡을 일삼았다.

　박대통령은 이날 저녁 7시를 기해 전국에 비상계엄령을 선포하고 국회해산, 정당 및 정치활동 중지, 비상국무회의 설치 등의 비상조치를 감행했다. 박대통령이 발표한 4개항의 비상조치 내용은 다음과 같다.

① 72년 10월 17일 하오 7시를 기해 국회를 해산하고 정당 및 정치활동의 중지 등 현행헌법의 일부 조항 효력을 정지시킨다.
② 일부 효력이 정지된 헌법조항의 기능은 비상국무회의에 의해 수행되며 비상국무회의의 기능은 현행헌법 하의 국무회의가 수행한다.
③ 비상국무회의는 72년 10월 27일까지 조국의 평화통일을 지향하는 헌법개정안을 공고하며 이를 공고한 날로부터 1개월 내에 국민투표에 부쳐 확정한다.
④ 헌법개정안이 확정되면 헌법절차에 따라 늦어도 금년 연말 이전에 헌정질서를 정상화한다.

박대통령은 〈대통령특별선언〉을 발표, 비상조치의 발동에 대해 설명하면서 "열강의 세력균형의 변화와 남북한 간의 사태진전에 따른 평화통일과 남북대화를 추진할 주체가 필요한데, 현행법령과 체제는 냉전시대의 산물로써 오늘날의 상황에 적응할 수 없으며, 대의기구는 파쟁과 정략의 희생이 되어 통일과 남북대화를 뒷받침할 수 없으므로 부득이 비상조치로써 체제개혁을 단행한다"고 주장했다.

전국에 비상계엄을 선포한 박정희는 노재현 육군참모총장을 계엄사령관으로 임명하고, 포고령 제1호로서 ①각 대학의 휴교조치 ②정치집회 금지 ③언론·출판·보도·방송의 사전검열 등의 조치를 취했다.

　계엄당국은 신민당 의원 김상현·이세규·최형우·강근호·이종남·조윤형·김한수·조연하 등을 구속하고, 이들에게 가혹한 고문을 자행하는 등 공포분위기 속에서 체제정비에 나섰다.

　유신쿠데타로 제도적으로나마 유지되던 민주주의가 압살되고 민주인사들이 미증유의 고통을 겪게 되었다. 양심적인 법조인들도 시련을 겪기는 마찬가지였다. 1960년대부터 정치시국사건을 변론해 온 한승헌은 유신쿠데타로 국회의원에서 피고인으로 전락한 김상현의 변론을 맡았다.

　박정희 정권은 유신체제를 비판하는 국민의 여론이 심해지자 다시 희생양을 찾았다. 유신 전 정계에서 이른바 '야당 3총사'라 불리던 전 국회의원 김상현·조윤형·조연하를 표적으로 삼았다. 이들을 파렴치범으로 몰아 구속시켰다.

　한승헌이 변론을 맡은 김상현은 한 해 전 대선에서 김대중 후보의 핵심측근으로 활약하면서 박정희 권부로부터 미운털이 잔뜩 꽂혀 있었다. 월간《다리》의 실질적 사주이기도 하여 그에 대한 권부의 거부감은 도수가 굉장히 높았다.

　그는 내무위원회 야당 측 간사로 있으면서 돈을 얼마간 마련하여 내무위 소속 의원들에게 추석 '떡값' 명목으로 나누어준 일이 있었는데, 검찰은 이를 뇌물 알선으로 몰아 그를 구속 기소했다. 여야 간사가 합의해서 한 일인데도 야당측 간사만 문제삼은 것이다. '정치탄압'으로 비난받을 소지가 다분했다.

김 의원은 나의 변론에 대해서 걱정이 많았다. "감옥에 있는 사람의 처지는 아랑곳하지 않고 저렇게 심하게 나가면 변호사 덕분에 징역을 덤으로 살겠구나" 하고 걱정했다고 한다. 그는 징역 3년을 선고받았으나 2년도 채 되기 전에 형집행정지로 석방되었다. (1974년 12월 9일)*

이후 두 사람은 끈끈한 인간관계를 오랫동안 유지하였다. 앞의 '3총사'가 안양교도소에서 풀려나온 후 환영을 겸한 송년모임에서 뜻을 모은 '으악새'에도 함께하는 등 우의를 나누었다. 한승헌 유머록에 제법 널리 알려진 내용의 하나도 김상현과 연계된 것이다.

그는 풀려난 뒤에 나더러 "형님 덕분에 2년 동안 국비장학생 과정을 무사히 마쳤다"고 악담인지 인사인지 모를 말을 했다.

그는 가끔 "한 변호사가 변호를 맡으면 틀림없이 징역 가니까 감정 있는 사람 있거든 한 변호사에게 사건을 맡기시오" 라고 말해 좌중을 웃기기도 했다. 그러면 나는 이렇게 응수했다. "내가 변호하는 피고인치고 석방 안 되는 사람 있으면 손들어보시오. 내가 변호한 사람치고 석방 안 된 사람은 하나도 없어요. 최악의 경우에도 만기 석방으로 다 나왔으니까."

말은 그렇게 했지만, 내 변호가 먹혀들지 않은 사법 현실 앞에 어찌 자괴와 회한이 없었겠는가. 그와 나는 피고인과 변호인 사이로 친

---

* 《정치재판의 현장》, 123쪽.

해졌는데, 나중엔(이른바 김대중내란 음모사건 때) 공동 피고인으로 군법회의에서 같이 재판을 받는 처지가 되었다. 서울구치소와 육군교도소에서 함께 감옥살이를 하면서 그가 놀라울 정도로 옥중 공부에 열심인 것을 보고 나는 매우 감탄했다.[*]

김상현은 유신초기 유신광기 속에서도 자신을 변호해 준 한승헌을 뒷날 다음과 같이 증언한다.

"그때 한 변호사께서는 나를 위해 헌신적인 변호를 해주셨다. 독재정권과 당당히 맞선 그분의 변론을 들으면서 지금 누가 감옥에 있고 누가 변론을 하고 있는지를 착각할 정도였다. 추상같은 변론을 하면서도 무릎을 치고 탄복할 정도로 해학과 재치를 발휘하였다. 그러나 속으로는 '감옥에 있는 처지는 아랑곳하지 않고 저렇게 심하게 나가면 변호사 덕분에 징역을 덤으로 더 살겠구나' 하는 걱정도 들었다.
하지만 유신정권의 폭거를 준엄하게 비난하고 민주화와 인권문제에 대한 한 변호사의 신념에 찬 변론을 들을수록 나는 고통보다는 오히려 비장한 기쁨을 맛보면서 감옥생활을 할 수 있었고, 민주화에 대한 확고한 신념을 감옥에서 키워나갔다."[**]

---

[*] 《자서전》, 127~128쪽.
[**] 김상현, 〈반독재 투쟁의 선봉에 섰다가〉, 《실록(1)》, 416쪽.

김준희 교수 남북 유엔 동시가입 필화 변론

고금을 막론하고 독재자는 자유언론을 적대시하는 습성을 공유한다. 비판을 용납하려하지 않는다. 박정희가 쿠데타를 일으키고 가장 먼저 한 일이 언론통제였다. 《민족일보》를 폐간하고 조용수 사장을 사형시켰다. 이후 각종 필화사건이 계속되고 그중 한승헌이 담당한 사건의 일부는 앞서 소개한 대로이다.

'필화사건 전담 변호사'이기도 한 한승헌은 "필화는 있어서 불행한 것도 아니고 없다고 다행한 것도 아니다. 전자가 의당 해야 할 비판과 저항의 살아있음의 증좌일 수도 있고, 반면에 후자는 압제 앞에 항복한 침묵과 굴종의 반사적 현상일 수도 있기 때문이다"*라는 '역설(?)'을 펴기도 했다.

유신권력은 걸핏하면 비판적인 언론과 지식인들을 국보법과 반공법으로 엮어 입을 막았다. 그들에게 '통일문제'는 가장 영양가 높은 먹잇감이었다. 이승만이 진보당 조봉암을 처형할 때의 수법 그대로였다. 김준희는 프랑스 소르본느 대학에서 정치학을 전공하고 1972년 귀국하여 건국대학 교수로 재직중이었다.

〈한반도에 있어서 재통일의 문제와 그 기원〉으로 박사학위를 받고, 이 분야를 열심히 논구해왔다. 남한에서는 그동안 진보적 통일담론을 펴다가 처형되거나 고통을 겪은 사례가 많아서, 학자들은 이 분

---

* 한승헌, 《권력과 필화》, 13쪽, 문학동네, 2013.

야에 연구와 발언을 삼가고 있는 형편이었다.

　1972년 10월, 월간《다리》창간 2주년 기념 강연회가 명동 대성빌딩 강당에서 열렸을 때, 그는 당시로서는 파격적이라 할 발언을 서슴지 않았다. 우선 그는 북한에서 나온 각종 간행물과 전단 등을 들고 나와 "여러분은 이런 것을 가지고 있기만 해도 처벌받지만 나는 정부의 허가를 얻었기 때문에 문제가 없다"면서 그것들을 들어 보이며 강연을 했다.

　그 무렵만 해도 북한(당국)을 '북괴'라고만 부르던(불러야 했던) 시절인데, 김준희 교수는 꼬박꼬박 '조선민주주의인민공화국'이라고 불러서 남다른 학자구나 하는 인상을 주었다. 북한을 일방적으로 매도만 하던 원색 반공시대에 그는 남북한의 통일정책을 등거리에서 고찰한 다음 평화적 통일방안을 구체적으로 제시하기도 했다.*

　먹잇감을 찾던 공안당국이 방치할 리 없었다. 그는 반공법위반혐의로 구속되었다. 혐의 요지는, ①연구협회가 발행하는《통일연구》창간호에〈삼중쇄국성과 우리 조국의 재통일 문제〉라는 논문을 발표하여 북한공산집단을 대한민국과 동등한 합법정부로 보고 남북한이 유엔에 동시 가입해야 한다는 주장을 폈다. ②월간《다리》사 주최 강연회에서〈연방제 재통일의 문제점〉이라는 제목으로 강연을 하는 가운데 한반도 안에 두 개의 정부가 있다는 현실을 인정하고 긴장완화와

---

*　앞의 책, 47쪽.

재통일을 위해서는 남북이 유엔에 동시 가입해야 한다는 발언을 했다. 이상과 같은 남북유엔동시가입론은 북한 공산집단의 선전활동에 동조함으로써 반국가 단체를 이롭게 한 범죄라는 것이었다.

1심에서 징역 1년 6월의 실형이 선고되었다. 한승헌은 항소심에서 변론을 맡았다. 그는 김 교수의 학문적인 연구결과를 왜곡한 1심판결의 오류를 지적하면서 '남북유엔동시가입론'이 결국 북한공산집단의 선전활동에 동조하여 반국가 단체를 이롭게 한 것이 아님을 주장하였다.

항소심은 무죄가 아닌 3년간 형집행유예로 그는 풀려났다. 그런데 한승헌이 상고이유서를 준비 중이던 1973년 6월 23일 박대통령이 '6·23 외교선언'을 통해 남북한 유엔동시가입을 반대하지 않는다고 발표했다. 사실상 유엔동시가입을 선언한 셈이다.

"피고인은 대통령보다 앞서 남북 유엔동시 가입론을 주장한 선구자인데, 상은 못 줄망정 벌을 줄 수가 있는가. 어느 모로 보나 김 교수가 반국가 단체를 이롭게 했다는 원판결은 뒤집혀야 마땅하다."

나는 자신만만하게 상고이유서를 끝맺었다.

그러나 몇 달 뒤에 나온 대법원 판결은 '상고 기각'이었다. 내가 쓴 장문의 상고이유에 대해서 "논지(論旨)는 독단적 견해에 불과하다"는 단 한마디로 눈을 감았다. 똑같이 '동시가입론'을 폈는데 한 사람은 반국가사범이고, 다른 한 사람은 '영단'을 내린 지도자라는 정부의 억지에 사법부조차도 손을 들어준 셈이다.

　그리고 세월이 흘러 1991년 9월, 남한이 북한을 설득하여 마침내 남북한이 동시에 유엔에 가입했다.[*]

<hr/>

* 《자서전》, 124쪽.

제 7 장

다양한 사회활동

방관자를 질타하다

'인권변호사'의 역할은 법정에서만 한정되지 않았다. 강직한 성품과 성실하고 논리적인 변론이 알려지면서 그의 존재를 찾는 곳이 많아졌다. 그렇다고 '불려다님'만은 아니고, 본인의 관심사가 있었던 까닭에 참여한 곳이 많았다.

그의 연보에 따르면 1966년 6월 《법률신문》 논설위원을 필두로, 국제 PEN클럽 한국본부회원(1968.1), 숙명여대 정경대학 강사(3). 한국시인협회 회원(1970. 1), 한국방송윤리위원회 위원(1971. 2), 서울제1변호사회 회지편집위원장(4), 서울가정법원 조정위원(1972. 2), '양심의 수인'을 돕는 국제앰네스티 한국위원회의 창립 참여이사(3), 대한변호사협회 문화공보위원장(5), 서서울 라이온스클럽 회장(7), 재단법인 크

리스천 아카데미 이사(9), 민주회복국민회의 중앙위원(10), 자유실천
문인협의회 발기인회 참여. 이사(10) 등이 사회활동 초기의 면면이다.

학창시절 대학신문 편집책임을 맡았고 문학에 재능이 있었던 그
는 법조인이 되고서도 문예의 울타리를 쉬이 넘나들었다. 그리고 신
문·방송의 경계선도 무시로 넘나들며 글을 쓰거나 방송을 하였다.
젊은 시절에 지망했던 분야였기에 생소하게 느끼지 않았다.

1967년 34세로 한국기자협회 법률고문이던 그는 〈방관죄〉라는
칼럼을 썼다. 문인·지식인들의 무기력을 개탄하면서 경종을 알리는
나팔소리였다. 자신까지 포함해서. 글의 전문이다.

방관죄

독일의 반전 평화운동가 오시츠키는 노벨평화상까지 받은 사람이다. 그
는 바이마르 체제가 기울어질 무렵의 독일 군부를 통렬히 공격한 탓으로 여러
번 박해를 당했다. 그 판국에 대담하게도 그를 옹호하고 석방운동에 앞장선
이는 저 유명한 작가 토마스 만 그 사람이었다. 19세기 말, 불란서의 악명높은
'드레퓌스 사건' 때엔 문호 졸라가 〈나는 규탄한다〉라는 제하의 대통령에게
보내는 공개장을 발표하고 간첩날조의 의혹에 도전했다. 이웃 일본에서 장세
월에 걸쳐 논란된 '송천(松川)사건' 재판을 둘러싸고 가장 신랄한 해부와 비판
을 가하면서 피고들을 옹호한 사람 가운데 광진화랑(廣津和郎), 우야조이(宇野
造二) 두 작가의 이름을 빼놓을 수는 없다.

이처럼 불의와 수난에 직면하여 감연히 나섰던 문인들의 행동성을 예증하자면 끝이 없다. 생각하건대 그들은 어느 한 사람의 안위를 위해서가 아니라 모든 인간에 대한 지식인으로서의 책임을 다하고자 한 지사들이었다.

그런데 지금 우리 한국의 문사 내지 지식인들 속에서 '이 사람을 보라' 하고 선뜻 내세울 만한 분이 생각나지 않음은 어인 일인가? 강단에서, 지상에서 혹은 마이크 앞에서 그래도 이 나라의 '지성'을 자처하는 그분들이 아직도 외면과 방관의 유리창 안에서 기체 일향 만강을 빈하는 예가 너무나 많다.

압제와 불의 앞에서 꾸민 청이불문(聽而不聞), 견이불시(見而不視)의 편법을 언제까지고 '점잔'으로 미화해 줄 수는 없다. 그렇다면 휴머니즘이니 앙가즈망이니 하는 말들을 곧잘 차용하면서도 그와는 너무도 먼 지점에서 맴도는 한국의 지식인들은 이율배반의 명수라고 혹평되어도 할 수 없다.

'모든 인간에 대한 책임'은 고사하고 당장 글 쓰는 자유가 눈앞에서 위협을 받고, 작가가 마구 사직에 끌려가도 이에 정면으로 항거하기는커녕 그저 관가의 관용이나 바라는 정도이다.

지난 번 방한했던 미국 연방대심원장의 연설 중에 "피해를 입지 않은 자가 피해를 입은 자와 마찬가지로 분노할 때 정의는 실현된다"(솔론의 말)고 강조한 말을 우리 지식인들의 가슴에도 심어주고 싶다. 분노해야 할 때 구경이나 하는 지식인이라면 "모든 인간에의 책임을 망각한 죄인"이나 다름없다. 굳이 이름을 붙이라면 적어도 '방관죄'라는…….*

그는 1970~1980년대 군부독재 시대의 대표적인 인권기구인 국

---

* 한승헌, 《법창에 부는 바람》, 172~173쪽, 삼민사,

제앰네스티 한국위원회(1972년 3월) 발족 당시 창립총회에서 결의문을 낭독하고, 각종 문건의 기초 등 설립에 비중 있는 역할을 하였다.

이사장 김재준 목사, 전무이사 윤현 목사이고, 이병린 · 함석헌 · 지학순 · 문동환 · 리영희 등 각계 인사 25명이 참여한 한국위원회는 양심수지원, 사형폐지, 고문철폐, 공정한 재판, 수감자 처우개선 등을 전개하고, 대통령 긴급조치 하에서도 '국제정치범주간'을 내세워 사형폐지 캠페인을 벌였다.

그는 2002년 3월 28일 국제앰네스티 한국지부창립 30주년 기념식 축사에서 저간의 고난을 소개했다.

"1980년 봄, 정치군부의 내란으로 5 · 17과 5 · 18이 터졌을 때 한국 앰네스티에도 검거와 수색의 마수가 미쳤습니다. 한때는 한국 앰네스티의 소재지가 런던으로 표시되기도 했고, 사무실은 폐쇄되고 조직은 마비되는 비운을 겪기도 했습니다. 그런 광기어린 폭풍 속에서도 '철조망에 둘러싸인 촛불(AI의 로고)'은 아주 꺼질 수가 없었습니다. 이런저런 우여곡절을 겪으면서 한국 앰네스티는 오늘날 보듯이 재건과 발전의 역사를 이룩했습니다."*

초창기 한국방송(KBS)과 문화방송(MBC) 라디오에 매주 1회씩 법률 상담을 하고, 1971년 2월부터 방송윤리위원회 위원으로 공영방송의 정치적 중립을 위해 노력하였다.

---

* 1986. 한승헌, 《스피치의 현장》, 29~30쪽, 매일경제신문사, 2010.

《법과 인간의 항변》펴내

한승헌은 내로라하는 문인·학자 못지않는 글쟁이다. 법조의 경계를 넘어 각 분야에 걸쳐 쓰는 그의 글은 신선하며 서늘하고 지적 호기심을 자극한다. 일반적으로 법률가(법조인)의 글은 건조한 것으로 알려진 데 비해 그의 문장은 대단히 부드럽고 문학적이고 유머스럽기도 하다. 해서 '글맛'이 독특하다.

그는 1972년 5월 《법과 인간의 항변》이란 책을 출간했다. 시집 《인간귀향》, 수필집 《검사의 체온》, 시집 《노숙》에 이은 네 번째 저서이다. 그간 발표한 논설·시론·수필 등을 모았다.

서문의 제목이 〈갈망과 몸부림의 여울목에서〉이다. "어처구니없는 좌절, 분해해도 소용없는 역사를 앓으며 부질없이 고지(稿紙)의 칸을 메꾸어 왔다. 납덩이 같은 침묵이 외계에 가득 찰수록 필부의 초라한 밀실 안에선 갈망의 농도가 짙어진다"는 대목에서 당시 심란했던 심사의 일단이 읽힌다.

검사를 그만두고 시국변호사로 입지하여 법원 안팎에 응축된 권력의 행태와 부딪히면서 겪은 '갈망과 몸부림'이었다. "자유와 권력, 법률과 인간―그것들 사이에 교차되는 무한한 갈등은 우리로서 차마 감당키 어려운 상황을 강요하고 있다."―이런 상황이 갈수록 더 강화되어가는 한국적 정치·사법 풍토에서 그는 힘겨운 싸움을 멈추지 않았다.

이 책은 1, 법과 법조의 풍토. 2, 문학과 법의 갈등. 3, 법 의식과 인간소외. 4, 자유언론의 시련. 5, 갈망의 창변으로 나뉘어 60여 편이 실렸다. 한승헌 초기의 사유와 신념, 현실관 등을 살피게 한다. 〈'사'자 직업〉이란 수필은 짧은 자전 격이다. 젊은 시절 아나운서(사), 교사가 되고자 했다가 낙방하고, 검사에 이어 변호사가 되어 '사' 자와 얽힌 사연을 코믹하게 적었다.

"정해진 궤에 따라 검사를 하다가 변호사로 전업한 이제, 나와 '사' 자 붙은 직업과의 묘한 인연을 생각해 보게 된다. 내가 지망했던 교사나 아나운사(정확히는 아나운서라지만)가 그렇고 전직인 검사가 그런가 하면 지금의 변호사가 그렇다.

모두 '사' 자로 끝나는 이름을 가진 직업, 우연이라기엔 너무 기이하다. 비단 '사' 자 만이 공통인자가 아니다. 여러 사람이 듣는 것을 전제 삼아서 발성하여 정오(正誤)의 룰과 설득에 능해야 하는 점에서도 공통된 면이 있다.

그러니까 지금의 변호사 생활에도 때로는 교사다운 때로는 아나운서다운 요소가 아울러 작용해야 될 적이 많다. 실인즉 제3지망의 직업이긴 해도 '이왕 들어선 바엔' 하고 지금의 생활을 후회해 본 적은 없다. 그저 힘에 겨워서 탈이다."[*]

이 책에는 3인의 짧은 '독후감'이 뒤표지에 실렸다.

---

[*]   한승헌, 《법과 인간의 항변》, 384~385쪽, 범우사, 1978.

이것은 이른바 신변잡기풍의 수필이 아니요 현학이 풍기는 논설집도 아니다. 지적인 메스로 현실을 해부하고 저항하고 저미는 심도 높은 에세이집이다. ― 김소운(수필가)

미망으로 얼룩진 우리 현대사의 '현장증언'을 듣는 것 같아 숙연해진다. 비리와 무법 앞에 인간을 변호하는 저자의 육성은 이 시대를 함께 사는 모든 사람들에게 전달되어야 할 것이다. ― 법정(스님)

저자의 음성은 신념에 차 있고 유창한 문장을 타고 전개되는 논리는 현상을 고착시키려는 힘으로서의 권력에 대한 명석한 비판을 가하고 있다. ― 김병익(문학평론가)

지적(知的) 편식이란 수필의 앞 대목이다.

불온학생으로 지목받던 K의 하숙방에 수사기관 사람이 찾아왔다. 먼저 책꽂이를 두리번거리던 그는 대뜸 한 권의 책을 뽑아냈다. 막스 웨버 사회학 책이었다.

"이거 맑스ㆍ레닌의 유물론 아니야?"

수사관의 말투가 기세를 올린다.

"아닙니다. 막스 웨버가 어째서 칼 막스(마르크스)란 말입니까? 전혀 다른 사람인데요."

"뭐? 내가 모를 줄 알고? 좌우간 이 책은 압수해 간다."

K는 어이가 없었다. 선무당이 무엇을 잡는다고 '막스'를 '맑스'로 단정한 그 사람은 기어이 책을 가지고 가서 밀린 서류와 함께 검찰에 넘겼다. 맑스 · 레닌을 신봉하는 용공사상의 소유자라는 의견을 붙여서……

이것을 받아본 검사, 하도 기가 막혀서 허허 웃고 책을 돌려주었다는 이야기다.

이런 에피소드를 그저 무식에서 빚어진 웃음거리라고 보아 넘길 수만도 없는 곳에 우리 쓴(苦)의 맛 이중성이 있다. 이 삽화는 어떤 의미에서 오늘날 우리의 지적 위기를 상징하는 슬픈 단면이기도 하다.*

---

* 앞의 책, 177쪽.

제 8 장

박정희 긴급조치 시대

긴급조치 살얼음판 시국에

우리 현대정치사 또는 헌정사의 시대구분은 이승만 정부 — 제1 공화국, 4 · 19혁명 후 장면정부 — 제2공화국, 5 · 16 쿠데타로 집권한 박정희 정부 — 제3공화국, 10월유신 후 박정희 정부 — 제4공화국, 10 · 26 거사 후 전두환 정부 — 제5공화국, 전두환 후계자 노태우 정부 — 제6공화국이라 호칭한다.

제4공 정부는 곧 긴급조치 시대였다. 대통령의 행정명령이 헌법을 뛰어넘는 효력을 발휘하였다. 민주공화, 법치주의, 삼권분립의 헌법질서는 무너지고, 박정희 1인에 의한 폭압통치가 행정명령으로 자행되었다. 꼬리가 몸통을 움직이는 격의 행정명령시대였다.

74년 새해가 밝으면서 유신헌법 철폐와 민주회복을 요구하는 국민의 목소리는 더욱 거세게 확산되었다. 심지어 박정권과 정치적 유착설이 나돌던 유진산의 신민당까지 1월 8일 개헌을 요구하기에 이르렀다.

이렇게 되자 정부는 개헌청원 서명운동을 저지하는 더욱 날선 강압책을 들고나왔다. 1월 8일 긴급조치 1,2호를 선포하여, 유신헌법을 반대 부정 비방하거나 개헌을 주장하는 일체의 행위를 금지하고, 위반자는 영장없이 체포하고 군법회의에서 15년 이하의 징역에 처하며 (1호), 이에 따른 비상군재를 설치한다(2호)고 선포했다. 합법적인 국민의 요구를 원천적으로 억압하는 반헌법 조치였다.

긴급조치는 원래 천재지변 또는 중대한 재정·경제상의 위기에 처하거나 국가의 안전보장 또는 공공의 안녕질서가 중대한 위협을 받거나 받을 우려가 있어 신속한 조치를 취할 필요가 있다고 판단되는 경우에 대통령이 내정·외교·국방·경제·재정·사법 등 국정 전반에 걸쳐서 내리는 특별한 조치다.

그러나 유신헌법 제53조에 규정된 대통령 긴급조치권은 단순한 행정명령 하나만으로 국민의 자유와 권리에 대해 무제한의 제약을 가할 수 있는 초헌법적 권한으로서 사실상 반유신 세력에 대한 탄압도구로 악용되었다. 나치시대 히틀러의 비상대권과 유사한 것이었다.

74년 1월 8일 제1, 2호가 처음 발동된 이래 75년 5월 13일 제9호까지 이른 대통령 긴급조치는 박정희 암살로 79년 12월 8일에 9호가 해제되기까지 만 5년 11개월 동안 이른바 '긴조시대'가 지속되었다. 국민의 기본권을 제약하고 반대세력을 탄압하는 그야말로 권력의 광기가 절정에 이른 암흑의 시대였다. 대통령의 행정명령이 3권 위에 군림하게 되고, 권력분립과 의회민주주의는 형해화되었다. 대한민국은 정부수립 이래 무헌법의 무인통치 시대를 맞게 되었다.

긴급조치 1호는 헌법개정 관련 외에도 △유언비어의 날조 · 유포 금지 △금지행위의 선동 · 선전 및 방송 · 보도 · 출판 등 전파행위 금지 △이 조치의 위반자 및 비방자는 영장없이 체포 · 구속 · 압수 수색하며 비상군법회의에서 15년 이하의 징역과 15년 이하의 자격정지에 처하도록 했다.

유신과 긴급조치 선포를 전후하는 살얼음판 시국에 한승헌의 동정을 살펴본다.

1973년 1월에는 김상현 씨 등 신민당의원 구속사건의 변호를 맡았고, 2월에는 김준희 교수의 반공법 위반(남북한 UN동시가입론) 필화사건의 변호를 맡았다. 같은 2월《동아일보》고준환 기자의 국회의원선거법 위반사건의 변호를 맡았고, 같은 달 한국기독교교회협의회(KNCC) 인권위원으로 위촉되었다. 5월에 대한변호사협회 문화공보위원장에 피선되었다. 6월에는 서울공대 박선정 교수 피검 사건의 변호를 맡았고, 7월에는 박형규 목사 등이 '부활절 예배사건'으로 내란예비음모 혐의를 받은 사건을 변호하였다. 7월에는 또 고려대 노동문제연구소사건(김낙중 씨등)의 변호를 맡았고, 11월에는 서울대 문리대생집회시위사건(나병식 등)의 변호를 맡았다. 이처럼 바쁜 한 해였지만, 《문학사상》1월호에 〈한국문학에 나타난 법의식〉을 발표하고, CBS방송에 〈사법에의 신뢰와 비판〉, 〈형벌권의 남용과 절제〉 등 여러 편의 논문을 쓰고 칼럼을 방송하였다.

1974년 1월에는 고려대 '검은 10월단사건' 학생들의 변호를 맡았고, 또한 이해학 · 이규상 씨 등에 대한 대통령긴급조치 제1호 위반사건, 백기완 씨에 대한 동 위반사건의 변호를 맡았다. 2월에는 임헌영 · 장백일 씨 등 문인들에 대한 《한양》지 관계 반공법 위반사건의 변호를 맡았다. 그리고 권호경 · 김동완 씨 등 종교인과 학생들에 대한 긴급조치 제1호 위반사건의 변호도 맡았고, 5월에는 《중앙일보》 이원달 기자의 출판물에 대한 대통령선거법 위반 및 국회의원선거법 위반사건의 변호를 맡았다. 6월에는 세칭 민청학련 사건의 긴급조치 제4호 위반혐의에 대한 변호를 맡았고, 7월에는 윤보선 전 대통령과 함께 기소된 박형규 목사에 대한 긴급조치 제1호 및 제4호 위반사건의 변호를 맡았다. 이어서 서창석 군 등 대학생들에 대한 변호를 맡았고, 연세대 김동길 · 김찬국 두 교수에 대한 긴급조치 위반혐의의 변호를 맡았다.

이렇게 시국사건의 변호에 바쁜 가운데서도 크리스천아카데미 이사로 피선되었고, 《문학사상》 5월호에 〈저항인가 적응인가〉, 〈신동아〉 7월호에 〈필화재판〉, 〈씨알의 소리〉 9월호에 〈권력과 고문〉, 〈신동아〉 12월호에 〈정치범과 정치현실〉 등의 글을 활발하게 발표하였다. 11월에는 자유실천문인협의회의 발기에 참여하였으며 12월에는 수상평론집 〈위장(僞裝)시대의 증언〉(범우사)을 출간, 한 변호사는 이 책으로 필화를 당하게 된다.*

---

* 최종고, 〈한승헌의 삶과 생각〉, 한승헌, 《분단시대의 피고들》, 76~77쪽, 범우사, 1994.

남산 부활절 연합예배사건 변론

　유신체제하에서 수도권도시선교위원회를 통해 빈민 선교에 관여하고 있던 서울제일교회 전도사 권호경은 많은 기독교인들이 한자리에 모이는 남산 부활절 연합예배를 통해 기독교인들로 하여금 나라의 장래를 위해 기도할 수 있도록 촉구하는 기회를 마련할 계획을 세웠다. 그는 남삼우와 함께 서울제일교회 당회장 박형규 목사의 동의 아래 구체적인 준비 작업에 들어갔다.

　간단한 구호와 "회개하라, 때가 가까웠느니라", "회개하라 위정자여", "주여, 어리석은 왕을 불쌍히 여기소서", "국민주권 대부받아 전당포가 웬 말이냐", "주님의 날이여 어서 옵소서. 1973년도 부활주일 새벽에" 등 성서적인 표현을 중심으로, "회개하라 이후락 중앙정보부장" 등의 내용이 적힌 플래카드와 전단도 제작하였다.

　이들은 제작된 전단을 4월 22일 부활절연합예배 후 배포하려 했으나 경찰과의 충돌이 예상돼 계획대로 배포하지 못하였다. 단지 KSCF 회원들이 새벽 연합예배에 참석하고 귀가하는 교인들에게 일부를 배포하였을 뿐이었다. 그런데 우연찮게도 전단이 당국의 손에 들어가 중앙정보부 지휘 아래 남대문경찰서에 수사본부를 설치하고 색출 작업에 착수했다.

　서울지검 공안부 정명래 부장검사는 7월 6일 서울제일교회 목사 박형규(50)·동교회 전도사 권호경·전 신민당 조직국 제2부 차장 남삼우(35) · 이종란(27) 등 4명을 내란예비음모 혐의로 구속하고, 다른 관련자 11명을 검거 조사 중이라고 발표했다. 검찰의 주장은, 박형규 등이 금년 4월부터 기독교학생연맹 내의 불평분자와 전과자들을 모아 쿠데타 행동대원 군중선동대를 조직하고, 4월 22일 부활절 예배를 거사일로 잡아 남산 야외음악당에서 열린 기도회 때 2천여 장의 반정부 선동 전단을 살포한 뒤 행동대원들로 하여금 4개 방향으로 시위를 유도케 하여 중앙 방송국과 중앙청을 비롯한 관공서를 점거케 할 계획이었다는 것이다.[*]

한승헌은 한국기독교교회협의회(KNCC) 총무 김관석 목사의 요청으로 박형규의 변론을 맡았다. 기독교인 변호사가 맡기를 거부해 그가 사건을 수임하게 되고 "이것이 나와 한국 기독교계(개신교)의 첫 만남이었고, 그 후 내가 신자가 아니면서도 기독교 인권운동에 일조를 하면서 많은 기독교인들을 변호하는 계기가 되었다."[**]

서울지검 공안부는 이들을 '내란예비음모' 혐의로 몰아 기소했다. 한승헌은 사건의 허구성을 파헤쳤다. 공판정에서 박형규에 대한 한 변호사의 반대신문이다.

문 : 기독교에서는 폭력을 사용하는가?

[*] 《한국민주화운동사연표》, 240쪽, 한국민주화운동기념사업회, 2006.
[**] 《자서전》, 131쪽.

답 : 안 한다.

문 : 부활절 연합예배에는 무엇을 가지고 참석하는가?

답 : 찬송가와 성경이다.

문 : 예배에 참석할 때 흉기를 가지고 오지는 않는가?

답 : 그런 경우는 없다.

문 : 예정대로 진행되었다면 어떤 사태가 일어났을 것이라고 지금 생각하는가?

답 : 아마 그 자리에서 (기도제목이 씌어 있는) 현수막을 잠깐 들었다가 경찰에 의해 제지당했을 것이라고 생각된다.

문 : 군중들은 어떻게 했을 것이라고 생각하는가?

답 : (기도제목이 적힌) 현수막을 보고 놀라기는 하겠으나 흩어져 집으로 돌아갔을 것이다.*

9월 25일 선고 공판이 비공개로 열리고 3분 만에 박 목사와 권 전도사에게 각각 징역 2년이 선고되었다. 그런데 선고 이틀 후 보석으로 풀려나왔다. 기독교계의 강한 저항에 굴복한 것이다. 구속→재판→유죄→석방이 모두 '엿장수 맘대로'였다.

---

* 박형규, 〈15년 만에 무죄 난 '내란음모'〉, 《실록(2)》, 46~47쪽.

긴급조치 1호 위반, 장준하 · 백기완 변론

유신체제의 정치적 공포 분위기에도 이를 별로 두려워하지 않는 사람들이 있었다. 장준하와 백기완 등 인권운동가들이다. 이들은 1973년 12월 24일 '헌법개정청원운동본부'를 결성하고 100만인 서명운동을 시작했다.

함석헌 · 김재준 · 김수환 · 백낙준 · 안병무 · 홍남순 · 계훈제 · 김찬국 · 법정 등 각계 지도급 인사 30여 명이 발기인으로 참여하고, 곧 많은 국민의 지지가 따랐다. 어떤 의미에서 긴급조치 제1,2호는 이 운동을 막고자 취한 조치였다.

긴조(긴급조치)가 발표된 지 5일 만인 1974년 1월 15일 비상보통군재 검찰부가 전 《사상계》 사장 장준하와 백범사상연구소 대표 백기완을 긴급조치 위반혐의로 첫 구속하고, 21일 도시산업 선교회 김경락 목사 등 종교인 11명을 같은 혐의로 구속하는 등 종교인 · 학생들을 다수 구속했다.

한승헌은 장 · 백 두 사람의 변론을 맡았다. 긴조의 발령으로 모두가 몸을 사릴 때이다.

비상보통군법회의 제1심 심판부에는 별 셋짜리 재판장을 비롯한 현역장교 몇 사람이 구색 양념처럼 차출되어온 판사, 검사 각 한 명씩이 들러리를 서고 있었다.

1월 31일 결심공판에서 징역 15년을 구형하자 바로 다음날인 2월 1일에 떨어진 판결이라는 것도 징역 15년, 단 하룻밤 사이의 일이었다. 구형량에서 한 푼도 깎아주지 않은 '정찰제 판결'이었다.

나는 그때 말했다. "대한민국의 '정찰제'는 백화점의 상관행이 아닌 군법회의 판결에서 최초로 확립되었다"라고.*

'정찰제 판결'이라는 용어는 유신·5공시대 한국 사법부의 치부를 가장 절묘하게 지적한 '논고'라 할 수 있을 것이다.

장준하와 백기완은 군사법정에서도 당당하게 굽힘없이 유신헌법의 개정으로 민주헌정질서를 회복해야 한다고 진술하였다. 백기완의 증언이다.

그때 체포된 지 두 달도 채 못 되어 벌어지는 육군본부 뒤쪽의 군사법정은 자못 으스스했다. 법정에는 헌병들이 총을 메고 섰고 방청석에는 나의 아내와 꼬마들, 그리고 장준하 선생의 직계가족만이 지켜보는 사실상의 비밀재판, 거기서 깡마른 한 변호사는 마치 등불처럼 나타나 나한테 묻는 것이었다.

"백기완 씨는 이번에 중앙정보부에 잡혀가서 조사를 받았지요?"

"네."

"그때 백기완 씨 주머니에서 나온 돈이라고는 단돈 5000원뿐이었

* 《실록(2)》, 64쪽.

다는데, 그게 사실입니까?

"네, 딱 5000원 밖에 없었습니다."

"여기에 잡혀오기 직전까지 개헌청원운동을 주도하면서 자금도 상당히 필요했을 터인데….'

"네, 민주주의와 통일을 바라는 엄청난 민심이 바로 우리들의 자금이요 힘이니까요."

"알겠습니다."

나는 어찌해서 그 많은 변호사 반대신문과 변론요지를 빼고 굳이 이 대목을 상기하고 있는 것일까. 그것은 바로 이 대목에서 한승헌 변호사의 날카롭고 당당한 백기완 변론의 알짜가 살아 있다고 여겨지기 때문이다.*

---

* 백기완, 〈박정희 유신독재와의 정면대결〉, 《분대시대의 피고들》, 241쪽.

날조된 문인간첩단사건 변론

군사독재자와 그 부역자들은 국민의 정당한 비판을 수용하지 않았다. 다중이 참여하는 불완전한 민주주의라는 정치체제는 견제와 비판을 전제로 건강성을 유지한다. 절대군주제와 다름이다. 1974년 1월 7일 (긴조발동 하루 전) 문인 61명이 〈개헌지지 문인성명〉을 발표하여 유신체제를 정면 비판하였다.

그로부터 20일 만인 1월 26이 서울지검 공안부 정명대 부장검사는 '서울을 거점으로 한 문인간첩단'을 적발했다며, 이호철·임헌영·김우종·정을병·장병화 등 5명을 반공법위반 및 간첩혐의로 구속하고, 언론인 천관우 등에 대해 계속 수사중이라고 발표했다.

구속된 5명의 문인은 북한노동당 대남사업단 담당비서 직계인 재일 공작지도원 김기심에 포섭되어 문단·언론계·학원 등의 동태를 보고하는 한편, 반정부 활동을 선동하는 작품 활동과 북한 지령 사항을 실천키 위해 문인개헌서명에 가담한 혐의를 받았다. 이들 문인들에게 지령을 내린 재일 공작지도원 김기삼은 1949년 북한에서 일본으로 건너와 1962년 민단에 위장 입적하고, 그해 2월 한양사를 창설하여 도일하는 문인·교수·학자 등을 포섭하는 활동을 해왔다는 혐의를 받았다.[*]

---

[*] 《한국민주화운동사 연표》, 259쪽.

검찰은 피고인들이 일본 도쿄에서 발행하는《한양》이라는 잡지를 매개로 일본을 왕래하여 북한공작지도원에게 포섭되어 반정부 활동을 해왔다고 발표하고, 언론은 대대적으로 이를 보도했다.

피고인들에 대한 공소사실의 줄거리는 피고인들이 국제회의나 세미나 등에 참석하고자 일본에 갔을 때 한양사의 김기심 씨나 김인재 씨를 만나 그들로부터 향응과 돈을 받고 그때를 전후하여《한양》지에 기고를 함으로써 반국가 단체를 이롭게 했다는 것이었다.

그러나 위의 두 김씨가 일본에서 발행하는《한양》이라는 월간지는 국문(한글) 종합지로서 피고인들뿐 아니라 국내의 이름난 문인 논객들이 전부터 많이 기고를 해온 터였다. 그 잡지는 조국의 당면문제를 민족주의적 관점에서 다루어왔는가 하면 창간기념호마다 국내의 이름난 학자·문인들이 대거 축사를 보내기도 했다.[*]

한승헌은 이호철·임헌영·정을병의 변론을 맡았다. 이들과는 오래 전부터 잘 아는 사이기에 변론은 자연스러운 일이었다. 수사 당국은 처음부터 날조한 정치사건이어서 진실규명보다 폭력으로 피고인들을 괴롭히고 억지로 자백을 받고자 했다.

밀실에서 고문과 신문을 번갈아 받으면서도 인간이란 묘해서 증오와 정이 함께 드는 것일까. 잠은 아예 없는 거나 마찬가지다. 강 전

---

[*] 한승헌, 〈문인 개헌성명 후에 나온 '간첩단' 발표〉,《실록 (2)》, 163쪽

무라는 자가 우리 사건 전체를 총괄하고 있다는 낌새를 잡았고, 실제로 그로부터 육체적인 고통도 당했다.*

유신정권이 긴급조치라는 폭력수단으로 공포 분위기를 조성하여 권력을 유지하면서 무고한 시민들을 용공좌경으로 엮어 사회에서 격리시켰다. "일단 국가보안법 위반자가 되고 나면 긴급조치나 다른 정치범과는 달리 '색깔' 보유자로 찍혀 민주화 운동권에서조차도 편견을 씻어내기가 쉽지 않음을 느낄 수 있다. 70년대는 더욱 그랬다."**

이 사건을 두고 문단 안팎에서는 문학관이나 시국관의 차이를 떠나서 들고 나섰다. 서정주, 최정희, 황순원, 김소운 씨 등 중진급을 비롯한 많은 문인 · 지식인들이 당국에 진정서를 냈다. 국제앰네스티와 일본 · 서독 · 미국 · 노르웨이 등 해외에서도 구명운동이 벌어졌다.

그러나 판결은 정을병 씨만 무죄였고 나머지 네 사람이 유죄였다. 이호철 씨는 징역 1년 6월, 장백일 씨는 징역 1년의 실형이었고, 임헌영 씨와 김우종 씨는 집행유예로 풀려나왔다. 이 사건은 문인들에게 겁을 주는 단기적인 효과를 거두었을지는 모르나, 박 정권의 탄압본색을 드러내는 정치적 자충수가 되기도 하였다.***

이 사건 피의자들은 뒷날 민주정부가 수립되면서 재심을 청구하

* 임헌영, 〈허황된 '문인간첩단' 사건의 누명〉, 《실록(2)》, 170쪽.
** 앞의 책, 179쪽.
*** 《자서전》, 164쪽.

여 전원 무죄 판결을 받았다. 하지만 이들에게 들씌워진 '간첩이미지'
는 쉽게 씻어지지 않았다.

제 9 장

민청학련사건과 인혁당사건

본 변호인은 빈 의자를 변호하러 온 게 아니다

집권 13년 차에 이른 박정희에게 1974년은 정치적 위기의 해였다. 계엄령, 위수령에 이어 긴급조치까지 발동하여 무시무시한 형벌과 공포감을 불러일으켰으나 날이 갈수록 약효는 별로였다. 그리해서 다시 꺼낸 것이 '용공카드'로 국민을 겁박하는 길이었다. 1974년 4월 25일 중앙정보부장 신직수는 어마어마한 공안사건을 발표하여 국민을 공포에 떨게 만들었다. 이 날은 전국민주청년학생총연맹(민청학련) 사건에 대한 대통령 긴급조치 제4호가 선포된 지 3주일이 지난 시점이었다.

신직수 부장의 발표 내용의 요지는 다음과 같다.

민청학련은 공산계 불법단체인 인혁당 재건위조직과 재일조총련계 및 일본 공산당, 국내 좌파 혁신계 인사가 복합적으로 작용, 74년 4월 3일을 기해 현정부를 전복하려 한 불순 반정부 세력으로, 이들은 북괴의 통일전선형성 공작과 동일한 4단계 혁명을 통해 노동자·농민에 의한 정권수립을 목표로 했으며, 과도적 정치기구로 민족지도부의 결성을 획책했다.

이들이 획책한 이른바 4단계 혁명은, ①유신체제를 비민주 독재로 단정, 반정부세력을 규합하며 ②4월 3일을 기해 전국 주요 대학이 일제히 봉기하여 중앙청·청와대 등을 점거 파괴하고 ③민주연합 정부를 수립하는 것을 내용으로 했다.

민청학련의 배후 주동인물로는, ①전 인혁당수 도예종과 여정남 등의 불순세력 ②재일조총련 비밀조직의 곽동의와 곽의 조종을 받은 일본 공산당원 다차카와 하야카와 등 일본인 2명 ③기독교학생총연맹 간부진 ④이철·유인태 등 주모급 학생운동자와 유근일 등이다.

1973년 말 절정에 달했던 학원가의 반독재 시위가 긴급조치 제1호의 선포로 잠시 수그러들었다가 이듬해 신학기 시작과 더불어 다시 술렁이기 시작했다. 연초부터 떠돌았던 '3, 4월 위기설'이 나도는 가운데 4월 3일 서울대, 성균관대, 이화여대 등에서 일제히 시위가 일어났다. 서울대 의대생 500여 명은 흰 가운을 입고 시위를 벌이기도 했다. 이날 데모의 특징은 거의 같은 시간에 각 대학이 동시에 시위를 벌였다는 것과 선언문의 주체가 '전국민주청년학생총연맹'의 명의로

되어 있었다는 점이다.

학생들이 시위에 배포한 〈민중·민족·민주선언〉의 유인물이 민청학련 사건의 단초가 되었다. ①부패·특권·족벌의 치부를 위한 경제정책을 시정하고 ②서민들의 세금을 대폭 감면하고 근로대중의 최저생활을 보장할 것. ③노동악법을 철폐하고 노동운동의 자유를 보장할 것. ④유신체제를 철폐하고 구속된 애국인사를 석방할 것. ⑤모든 정보, 폭압정치의 원천인 중앙정보부를 해체할 것 등의 내용을 담고 있었다.

박정희는 이 사건을 기화로 4월 3일 저녁 긴급조치 제4호를 선포했다. 정부는 민청학련사건을 빌미삼아 학생들의 반유신투쟁에 족쇄를 채우고자, 이 사건의 관련자들을 비상군법회의에 송치했다. 군법회의에 송치된 사람은 배후조종 혐의로 전 대통령 윤보선, 지학순 주교, 박형규 목사, 김동길·김찬국 교수를 비롯, 인혁당 재건관련자라는 21명, 일본인 2명을 포함한 무려 253명에 이르렀다.

"한여름의 폭염 속에서 요식행위에 불과한 재판이 열리고 있었다. 나는 피고인들 중에서 '주력부대' 32명을 한 건으로 묶은 사건의 피고인들을 다른 변호사들과 분담해서 맡았다. 다행히 이 사건 재판 때부터 홍성우·황인철·강신옥·조준희 등 훗날 '인권 변호사'의 주축을 이루는 변호사들이 시국사건 변호인으로 등장하기 시작했다.

그런데 중정이 강신옥 변호사의 법정 변론 내용을 법정모욕죄 등으로 몰아서 구속하는 불의의 사태가 일어나서 국내외에 큰 파문을 일으켰다."*

　7월 21일 열린 비상군법회의 첫 공판에서 이철 · 유인태 · 여정남 · 김병곤 · 나병식 · 이현배 등 9명에게 사형, 유근일 등 7명에게 무기징역 등 가혹한 형벌이 선고되었다. 민청학련 사건 관련자에 대한 군법회의 재판은 1974년 6월 15일부터 10월 11일까지 119일 동안 계속되었다. 1974년 한여름 내내 긴급조치 피의자들을 다루는 군법회의 공판정은 연일 사형, 무기징역, 20년, 15년 등 유례 없는 중형을 선고하여 내외에 큰 충격을 주었다.

　"법정 공방은 날씨 못지않게 뜨겁게 달아올랐다. 한 치도 굽힘이 없는 피고인들의 반격에 단상의 심판관들이 수세에 몰려 곤혹을 치렀다. 2심인 비상고등군법회의 재판장은 이세호 대장이었다. 재판 과정에서 발언 제지 · 경고 · 휴정 · 항의가 되풀이되다가 마침내 단하에서 애국가가 울려 퍼졌다.
　당황한 재판부는 피고인 전원에게 퇴정명령을 내렸다. 피고인석이 텅 비었는데, 재판부는 변호인더러 변론을 하라는 것이었다. 한승헌은 입을 열었다. "본 변호인은 저 바닥에 놓여 있는 빈 의자를 변호하러 온 것이 아니라, 방금 퇴장당한 청년학생들을 변호하기 위해서 이 자리에 와 있다. 그러므로 그들을 입정시켜주면 변론을 하겠다.""**

---

*　《자서전》, 167쪽.
**　앞의 책, 168쪽.

"이 사건으로 인해 구속자 석방을 요구하는 집회 및 시위가 학계 및 종교계를 중심으로 광범위하게 번져가고 각계각층의 반독재 민주화투쟁이 격화되는 한편, 외교문제로까지 번져 미국의회에서 대한군사경제원조의 대폭삭감이 논의되는 등 국제여론도 악화되었다.

이에 당황한 박정희는 인혁당 관련자와 반공법 위반자 일부를 제외한 사건관련자 대부분을 석방함으로써 사건이 날조된 것임을 스스로 폭로했다. 이 사건을 계기로 종교계, 학계 등 광범위한 세력이 연대의 틀을 마련했으며, 지식인들이 변혁운동의 중심에 서게 되는 계기가 만들어졌다. 박정희는 스스로 몰락의 함정을 판 셈이다."*

---

* 《한국민주화운동사 연표》, 263쪽.

날조된 인혁당사건 여정남 변론

74년 4월 3일 긴급조치 4호가 선포되어 민청학련 사건으로 많은 사람이 구속된 지 3주일 후인 4월 25일 중앙정보부장 신직수에 의해 인혁당 사건이 다시 발표되었다. 1차사건이 있은 지 10년 만에 또 인혁당 이름을 내걸었다. 혐의사실도 10년 전과 거의 똑같았다. 현정부를 전복하고 노동자·농민에 의한 정부를 수립하기 위한 학생데모를 배후조종했다는 것이다.

정부는 민청학련 사건의 배후세력으로 인혁당을 지목하면서 이 사건 관련자 서도원·도예종·김용원·우홍선·송상건·여정남·김한덕·유진건·나경일·전재권 등 23명을 군사재판에 회부했다.

이들은 비상군법회의 검찰부에 의해 국가보안법·반공법·내란예비음모·내란선동 등 혐의로 구속·기소되어 비상보통군법회의, 비상고등군법회의, 대법원 확정판결에 이르기까지 3심을 거치는 동안 형량은 거의 변함이 없었다. 특히 도예종·서도원·하재완·이수병·김용원·우홍선·송상건·여정남 등 8명의 피고인은 처음부터 마지막까지 사형이었다. 이들을 희생양으로 지목한 것이다.

인혁당 사건을 둘러싸고 이번에도 고문에 의한 조작설이 드러났다. 피고인들의 법정진술과 가족들에 의해 고문 사실이 알려졌다. 고문과 조작설을 대담하게 터뜨리면서 항의하고 나선 사람은 외국인 조지 오글 목사와 제이스 시노트 신부였다. 이들은 인혁당 사건이 수사기관의 고문에 의해 조작된 것이라고 밝혔다가 얼마 후 한국에서 추방당했다.

"나는('인혁당사건'의 피고인이 아닌) 여정남 군의 항소심 변호를 맡게 되었다. 그의 1심 변호인이던 강신옥 변호사가 군법회의 변론 도중 구속되는 바람에 내가 '인계'를 받은 셈이었다.

민청학련의 배후로 검거된 인혁당 관계자들은 주로 대구·경북 지역을 중심으로 활동해온 혁신계 인물들로서, 그들은 민청학련의 유신반대투쟁을 배후조종하고 북한의 지령에 따라 정부 전복을 기도했다는 이유로 처벌을 받았다. 그들 피고인 22명 중 도예종·서도원·하재완·이수병·김용원·우홍선·송상진 등 7명이 사형 선고를 받았고, 민청학련사건에서는 유일하게 여정남 군만 항소심에서도 사형을 면치 못하고 있었다."*

인혁당 사건의 고문과 조작설에 대해 박대통령과 황산덕 법무장관이 이를 부인하는 가운데 4월 8일 대법원은 8명의 피고인들에게 사형을 확정했다. 이례적으로 대법원 판결 바로 다음 날인 4월 9일 이들 8명에 대한 사형집행이 감행되었다. 확정판결 다음날 사형을 집행하는 일은 극히 드문 일이었다. 시신도 유족들에게 인도하지 않았다. 정부 당국은 고문 흔적을 없애기 위해 불법적으로 화장을 하는 등 만행을 자행하였다.

───

* 《자서전》, 169쪽.

여 군은 법정 진술과 항소이유서에서 몸서리치는 고문 협박의 참상을 폭로하면서 억울한 혐의를 벗어보려고 했다. 그러나 재판부는 마이동풍이었다. 전반적으로 피고인들의 진술은 법정에서조차 제지를 당했고, 피고인 측 증인 신청은 무작정 기각되는가 하면, 검찰 측 증인은 변호인 측에 알리지도 않은 채 비밀리에 신문했다.

대법원에서도 판결은 이미 정해져 있었다. 1975년 4월 8일, 그날 대법원에서 인혁당사건 피고인 중 위의 7명과 민청학련사건 피고인 중 여정남에 대한 사형이 확정되었고, 선고 18시간 만에 그들은 형장으로 끌려가 불귀(不歸)의 몸이 되었다.

그 때 여 군의 변호인이던 나 역시 반공법으로 구속되어 그들과 같이 서울구치소에 수감되어 있었다. 그들이 저승의 문으로 끌려가던 날 새벽, 나는 그의 형 집행은 꿈에도 모른 채 같은 감옥의 다른 사방(舍房) 마룻바닥 위에서 잠을 자고 있었던 것이다.*

노무현 정부의 과거사위원회는 인혁당사건이 조작된 것을 밝혀내고, 사법부는 뒤늦게 재심에서 무죄를 판결하였다.

이 때문에 재심이나 탄원을 시도해 볼 여유도 없었다. 제네바에 본부를 둔 국제법학자회의는 인혁당사건의 최종판결이 난 4월 8일을 '사법사상 암흑의 날'로 선포했으며, 국제사면위원회(앰네스티)에서는 야만적인 살인행위라고 박정희 정부의 처사를 비난했다.

1995년 4월 25일 문화방송(MBC)이 사법제도 100주년을 기념하는

---

* 앞의 책, 170쪽.

다큐멘터리를 만들기 위해 판사 3백 15명에게 보낸 설문조사에서 인혁당사건 재판이 "우리나라 사법사상 가장 수치스러운 재판"이었다고 응답하여 법조인들도 이 사건이 정상적이지 못했음을 시인했다.

제 10 장

유신정권의
정치보복에 맞서

대통령 후보 김대중 변론하다가

김대중 전 신민당 대통령 후보가 해외에서 반유신운동을 하다가 1973년 8월 8일 일본 도쿄에서 한국 중앙정보부 요원들에게 납치되어 수장의 위기 끝에 닷새 만에 동교동 자택으로 생환하였다. 이후 가택연금으로 일체의 외부활동이 금지되었다.

일본 정부는 자신들의 주권이 침해당했다면서 '원상회복' 즉 김대중을 일본으로 돌려보내라고 요구하는 등 납치사건은 외교문제로 비화되었다. 박정희 정권은 난처한 처지에 놓였다. 짜낸 묘책이 그를 법정에 세우는 일이었다.

1967년 제6대 대선 때 윤보선 후보 찬조연설과 1970년 자신의 제7대 국회의원 선거 때 목포에서 선거유세 중 여당후보를 비방했다는 혐의였다. 지나도 한참 지난 일을 꾸며낸 정권이나 이를 맡아 해결사 노릇을 한 검찰과 사법부는 권력의 충직한 사병들이었다. 그들은 납치범들을 법정에 세운 것이 아니라 피해자를 세웠다. 정의와 상식이 도착된 것이다. 한승헌은 박세경 · 유택형 · 이택돈 변호사와 함께 김대중의 변론을 맡았다.

박정희 정부가 관권부정과 온갖 선거 비리를 저지른 여당후보는 면책하고 야당 후보를 희생양으로 법정에 세우면서, 미국과 일본 정부의 거듭되는 출국 요청에 외무장관은 "재판중에는 여권을 발급하지 않는다"는 이유를 들어 이를 거부했다. 묵은 선거법 사건을 검찰을 통해 급히 꺼내 든 배경은 장기적으로는 김대중의 정치활동의 발을 묶겠다는 것과, 당장은 여권 발급 거부의 명분용이었던 것이다.

이후 1년여 동안 김대중은 선거법 관련 재판으로 검찰 · 법관들과 싸워야 하는 힘겨운 나날을 보냈다. 검찰은 무려 186명을 증인으로 채택했다. 사상 최대의 증인 채택이었다. 검찰은 김대중의 선거 유세 연설 테이프를 청취하면서 무작위로 증인들을 불러 모았다.

변호인단은 김대중과 상의하여 서울형사지법에 대한 기피신청을 냈지만 서울고법은 이유 없다고 기각하자 다시 항고했다. 또 기각된 기피신청을 대법원에 재항고했다. 10월 중순에 이르러 법관기피신청 기각 결정에 대한 대법원 항고에 대해 대법원은 원심 판결을 취소하고 고법으로 환송했다. 법원끼리 핑퐁 끝에 12월 18일 법관기피 신청은 "이유 있다"는 판결을 내렸다.

재판은 계속하여 '이유 없이' 지체되었다. 해가 바뀐 1975년 3월 7일 변호인단이 공판기일을 빨리 지정해 줄 것을 요구하는 '공판기일 지정신청'을 서울형사지법에 제출했다. 속개된 공판에서 변호인단은 관계법 조문이 사문화가 된 이상 공소를 취하할 것을 요구했다. '체육관 대통령선거'로 바뀌어 위반했다는 선거법 조문은 이미 사문화되었다.

　　공판은 단속을 거듭하고 윤보선·김상현·강문봉 등이 증언대에 섰다. 9월 12일 서울지법은 선거법위반 혐의로 5년을 구형했다. 다시 법관 기피신청과 법원의 기각, 재항고와 기각이 되풀이되었다. 12월 13일 서울지법은 금고 1년과 벌금 5만 원을 선고했다.

　　1976년 3·1 민주구국선언 사건으로 구속된 김대중은 법원이 선거법위반 사건과 이 사건을 병합 심리키로 결정하였다. '납치살해' 기도에서 실패한 박정권은 법조항으로 묶기 위해 검찰과 사법권을 동원했다.

　　재판은 이례적으로 거의 매주 한 번씩 열렸다. 항소심을 맡아온 재판부에 1심인 이 사건이 배당된 것부터가 이상했다. 박세경·유택형·이택돈 변호사와 내가 변호인단으로 나섰다. 나는 재판이 있는 날마다 아침 일찍 동교동 김대중 씨 집에 가서 그날의 공판대책을 협의하고 함께 법정으로 나갔는데, 어떤 때는 중앙정보부 고위간부가 그 집에 나타나서 "오늘은 좀 적당히 해달라"고 간청인지 협박인지 모를 소리를 하기도 했다.*

─────────

* 《정치재판의 현장》, 143쪽.

서울고등법원은 그 기피신청 사건이 환송된 후 판사실에서 심리를 하였는데, 그 광경을 찍은 사진에 1심 녹음 검증 때 판사실에 들어와 있다가 문제가 된 정보부원이 이번에도 판사실 칸막이 위로 얼굴을 내밀고 있는 장면이 포착돼 있어서 쓴 웃음을 자아내게 하였다. 나는 그 사건 변호에 열중하던 중 반공법 위반으로 구속돼버렸기 때문에 재판의 후반전에는 참여하지 못했다.

　　세월이 가고 세상이 변해서 1987년 6월항쟁의 태풍이 지나간 어느 날, 이 사건은 유죄도 무죄도 아닌 면소판결로 마무리되었다. 기소된 지 15년이 지나서 이른바 재판의 시효가 소멸돼버렸다는 이유였다. 왜 15년이 넘도록 재판을 끝내지 못하고 사건을 방치해 두었을까. 사법부의 직무유기성 회피 체질이 여실히 드러난 실례였다.*

---

*　앞의 책, 144~145쪽.

민주화운동단체 참여, 이병린 변론 맡았으나

박정희 정권의 인권탄압이 극심해지면서 그의 역할도 많아졌다. 1974년 5월 4일 한국기독교회협의회(KNCC) 인권위원회의 위원으로 활동했다. 위원은 양호민 · 김용준 · 조지송 · 이태영 · 이우정 등이다.

같은 해 10월 24일《동아일보》기자들이 〈자유언론실천선언〉을 발표하였다.

① 자유언론을 수호하기 위해 어떠한 부당한 압력에도 굴하지 않고 이를 배제하며

② 언론인들이 보도 활동과 관련하여 부당하게 연행 구금당할 경우 귀사할 때까지 철야농성을 하며

③ 학생 · 종교인 등 각계의 정당한 의사 표시는 반드시 게재한다는 등 3개항을 결의했다.

《동아일보》기자들의 자유언론실천선언은 곧 전국의 신문 방송 통신 기자들의 자유언론 선언운동으로 번졌다. 권력과 유착한 사주들이 '선언'에 참여한 기자들을 회사에서 쫓아냈다. 정부는 각 기관과 기업의 광고주에 압박하여 계약된 광고를 해약함으로써 '백지광고' 사태가 벌어졌다.

이에 국민 각계에서는 '동아'를 살리자는 움직임이 일어나 '격려

광고' 운동이 벌어졌다. 법조계에서도 그냥 있을 수가 없었다. 나는 이
돈명 · 홍성우 · 황인철 변호사 등 몇 사람과 광화문의 한 음식점에 모
여 변호사들을 상대로 '동아 격려 광고' 성금을 모으기로 합의하였다.
광고란에 성금을 낸 변호사 이름과 격려(또는 정부 규탄) 문구를 싣는
방식이었다.

　　모금활동은 대체로 호응이 좋았는데, 일부 변호사는 돈은 내겠으
나 신문 광고란에 이름은 내지 않았으면 좋겠다고 했다. 또 어떤 분은
신문에는 물론이고, 모금내용을 적는 내부 장부에도 이름을 남기지
말아달라고 했다. 그런 성금이 모여 거의 한 달 동안 법조계의 격려광
고가 '동아'의 광고란을 채울 수 있었다.*

　　그 무렵 한승헌은 자유실천문인협의회(1974년 11월 18일 결성)의 회
원이 되었다. 고은 · 신경림 · 염무웅 · 박태순 · 황석영 · 조해일 등이
주축이 되어 구속자 석방, 민주헌정회복 등을 내걸었다. '구속자를 위
한 밤'이 열리고, 그는 자작시를 낭독하여 문인들의 갈채를 받았다.

　　정계 · 천주교 · 기독교 · 불교 · 언론계 · 학계 · 문인 · 법조인 ·
여성계 인사 71명은 1974년 11월 27일 서울 YMCA회관에서 창립총회
를 갖고 민주회복국민회의(국민회의)를 발족하였다. 윤형중(상임대표원)
이병린 · 이태영 · 양일동 · 강원룡 · 함석헌 등 10인을 대표위원으로,
한승헌 · 함세웅 · 홍성우 · 김병걸 · 임재경 등을 운영위원으로 하여
체제를 갖췄다.

---

* 《자서전》, 182~183쪽.

정치활동이 아닌 국민운동을 목표로 하는 민주회복국민회의는 자주·평화·양심을 행동강령으로, 민주회복을 목표로 삼아 활동에 나섰다. 전국적으로 국민의 호응을 받자 정부의 탄압이 가해졌다. '국민선언'에 서명했다는 이유로 김병걸 교수가 사직한데 이어 안병무·문동환·박봉랑·서남동·이우정 교수가 경고조치, 서울대 백낙청 교수는 파면되었다.

정부는 1975년 1월 17일 대표위원의 한 사람인 이병린 변호사를 구속하였다. 대한변호사협회 회장을 지낸 법조계 원로로서 그동안 반독재민주화운동에 앞장서왔다. 정부가 그를 제물로 삼은 것이다.

"그분이 난데없이 구속 수감되었다는 뉴스를 듣고 나는 곧장 서울구치소로 가서 접견을 하였다. 이 변호사님은 몹시 분개하고 있었다. 구속 전날, 기관원이 찾아와 민주회복국민회의 대표위원을 사퇴하라며, 만일 불응하면 내일 간통죄로 구속될 것이라고 협박을 하였다.

이 변호사님은 그런 사퇴 요구를 단호히 거절하였다. 그랬더니 그 기관원의 말대로 그 다음날 검찰에 '간통죄'로 구속되고 말았다. 이것이 이 변호사님 말씀의 요지였다. 뒤에 알아보니, 간통죄 구속영장을 웬일인지 시국사건 비밀영장을 담당하는 판사가 발부했다는 것이었다. 비밀리에 간통을 했기에 비밀영장이 나간 것이 아닐까. 이것은 나의 독보적 '해몽'이었다."*

---

* 앞의 책, 185쪽.

한승헌은 정부가 법조계의 선배인데다 함께하는 단체(국민회의) 대표위원을 엉뚱하게 간통죄를 씌워 구속한 데 분개하면서 변론을 맡았다. 하지만 이 사건의 재판 진행 중에 자신 또한 구속 수감이 되면서 손을 뗄 수밖에 없었다.

제 11 장

피고인이 되기까지

'필화사건' 전담에서 '필화 피고인'으로

거지가 왕자로 변하고, 벼락부자가 벼락거지로 바뀔 수 있지만, 변호사에서 곧바로 피의자가 되는 경우는 흔치 않는 일이다. 사례가 있긴 있었다. 1974년 강신옥 변호사가 민청학련사건을 변호하던 중 변론 내용이 문제되어 긴급조치위반 혐의로 피고인이 되었다. 그는 변론에서 "나의 심정은 피고인석에서 그들과 같이 재판을 받는 편이 더 편하겠다"는 요지의 발언을 하였다.

한승헌은 시국사건 변호사로서 변론과 각급 반독재 민주화운동 단체 활동으로 정권에 미운털이 박히고 찍혔다. "실제로 나는 정보 · 수사기관의 감시대상이 되어 도청 · 미행 · 탐문 · 위협 · 방문의 '객체'가 되어 있었다. 그들은 초기에는 몰래 하다가 나중에는 아예 내놓

고 했다. 사무실로 찾아오거나 밖에서 좀 보자고 해서 대면을 했는가
하면, 사무실 건물 어귀에 차를 세워놓고 있다가 내 차가 움직이면 따
라 붙기도 했다. '남산'(중앙정보부의 별칭)에 연행된 적도 한두 번이 아
니었다."*

이병린 변호사의 구속사건에 변론을 맡으면서 중앙정보부가 손
을 떼라고 협박하다가 말을 듣지 않자 곧바로 행동에 나섰다. 1월 21
일(1975년) 저녁 퇴근길에 자택 근처에 잠복중이던 기관원들에게 남산
(중정) 지하실로 끌려갔다. 건장한 젊은이 세 사람이 대기하고 있었다.
이틀 밤에 걸친 철야 밤샘조사가 끝난 후 반공법 4조, 국가보안법 11
조, 형법 57조 등 위반혐의로 검찰에 넘겨졌다.

그가 《여성동아》 1972년 12월호에 쓴 사형제를 비판하는 에세이
〈어떤 조사(吊辭)〉를 최근 펴낸 《위장시대의 증언》에 다시 실었는데,
이것이 간첩으로 처형된 김 아무개를 애도하는 글이라고 몰아 구속한
것이다.

"'간첩'의 '간'자도, 김 아무개의 '김'자도 없었고, 또 그런 것을 떠
올리게 할 만한 아무런 표현도 없었다. 그런데도 2년 반 전에 발표된
그 글까지 찾아내서 문제 삼는 것을 보고, 그들이 얼마나 나를 노리고
있었는지를 알 수가 있었다.(이병린 변호사의 구속 배경 '폭로'에 대해서는 한
마디도 묻지 않다는, 참 겉 다르고 속 다른 정보기관의 본색 그대로였다.)

* 《자서전》, 184쪽.

잠 안 재우기 시달림 속의 문답 설전으로 날이 밝고 나서 본격적인 조서작성이 시작되었다. 전날 밤 내가 혐의를 부인한 것을 어떻게든 뒤짚고 자백을 받으려는 심산이 보였다."*

3일 만에 풀려났다. 그 즈음 2·15석방으로 풀려난 김지하가 《동아일보》에 〈고행(苦行)〉이란 글에서 '인혁당 고문조작'을 폭로했다가 다시 구속되었다. 한승헌은 3월 20일 변호사 선임계를 내고 그의 변론에 나섰다. '남산'에서 반공법위반 사건이 아직 미결상태이니 김지하 사건에서 손을 떼라고 협박을 했으나 굴하지 않았다. 다음날 남산 지하실로 끌려가서 조사를 받고 기소되었다.

검찰의 고소장은 "수필의 내용 및 발표 행위가 북괴 간첩 김규남을 애국인사로 보고 동인이 마치 사회질서와 국가방어라는 전체 주주를 내건 한국에 잘못 태어나고, 권력과 법의 남용으로 인하여 비합법적으로 살해된 것 같이 표현하여 북괴의 선전활동에 동조하는 한편, 그 구성원인 동인의 활동을 찬양 고무함으로써 반국가 단체를 이롭게 했다"고 적시하고 있다."*

이 사건의 변론은 정부 수립 이래 동일 사건으로서는 최초로 103명의 변호인단이 구성되었다. 변호인단 103명은 4월 9일 〈변호인 의

---

* 앞의 책, 187쪽.
** 김삼웅, 《한국 필화사》, 250쪽.

견서)를 검찰에 제출하였는데, 그 서두는 다음과 같다.

우리의 동료 법조인 한승헌이 반공법 위반으로 구금되었다고 함
은 우리 재조, 재야를 막론하고 참으로 놀라운 일이 아닐 수 없습니다.
동 씨는 20년에 가까운 변호사, 검사 생활을 통하여 그 누구보다도 자
유민주주의적 신념이 굳고 그 신념에 따라 뚜렷하게 행동하여 온 사
람입니다. 그런데 동 씨가 북괴의 활동에 동조하여 적을 이롭게 한 행
위를 하였다고는 아무도 믿어 주지 아니할 것이며, 지금 혐의사실로
되어 있는 동 씨의 수필 내용이 반공법 제4조에 해당하는 행위라고는
결코 보여지지 않기 때문에 이에 변호인 일동은 다음과 같이 이 사건
에 대한 소신을 피력하면서 검찰 당국의 명석한 판단이 내려질 것을
간곡히 바라 마지 않는 바입니다.*

독재 권력에 단단히 찍힌 한승헌이 권력의 하수기관으로 전락한
사법부에 기대하지 않으면서도 법조인의 상식에 따라 항소심 재판정
에서 사실을 개진하였다.

"이 수필이 첫째, 김규남이라는 특정 사형수를 그 대상으로 적시
하여 썼다는 점과, 둘째, 그의 죽음을 비합법적인 재판에 의한 것이라
고 포현하면서 그의 활동을 찬양·고무하였다는 점에 관하여, 제1심
판결은 이 두 가지 문제점을 전혀 도외시한 채 이뤄졌다고 주장, 그런

---

* 앞의 책, 251쪽.

126   한승헌 평전

혐의사실을 인정할 만한 적법하고 합리적인 증거가 있었다면 판시가 그렇게 나올 리가 없다. 따라서 제1심이나 원심판결은 본 공소사실에 대하여 범죄의 증명이 없다는 건 실토한 것임이 분명하다"고 밝혔다.

즉 그는 사형제에 대한 평소의 비판적 입장과 국제앰네스티의 사형폐지운동 및 미 연방대심원의 사형 위헌판결 등이 연상되어 사형제도에 대한 비판과 반성을 제기하고자 하여 쓴 수필임을 분명하게 밝히고 있다.[*]

---

[*] 앞과 같음.

피고인이 된 시국변호사

한승헌은 반공법 위반이라는 혐의를 받고 서대문구치소에 수감되어 재판을 받았다. 인권변호사 한승헌의 필화사건은 국내외에 큰 파장을 일으켰다. 누가 봐도 정치보복성 구속이기 때문이다.

이 구속사태에 대하여 변호사 129명(103명에서 추가)으로 구성된 유례없는 변호인단의 활동과 한국기자협회, 국제펜클럽 한국본부, 한국교회여성연합회, 대한변호사협회, 서울제일변호사회, 일본의 종교인 · 교수 · 법조인 · 언론인 등 400여 명이 진정서를 제출하고 앰네스티의 국제본부 및 각국 지부의 항의 또는 진정이 있었다.
또한 그의 글이 용공이 아님을 설명하기 위하여 소설가 안수길 · 유주현, 문학평론가 이어령, 시인 홍윤숙, 목사 강원용, 그리고 이우정, 수필가 박연구 등이 증인으로 나섰다.*

변호사 129명의 활동과 각계 인사들의 진정서, 문학인들의 증언이 있었지만, 권력의 각본대로 진행되는 재판에는 약효가 없었다. 일찍이 그가 정의한 대로 '정찰제 판결'이 자신의 경우에도 어김없이 적용되었다. 그를 구속기소한 서울지검 공안부 부장검사와 항소심 재판장이 고시 동기생이었다. 그들은 국가에서 준 '양지'를 배신하고 '음지'를 택한

---

* 최종고, 앞의 책, 78쪽.

법조계의 이방인을 '바보'로 알았을까, 아님 내심으로 부러워했을까.

9월 11일 1심 공판에서 징역 1년 6월 자격정지 1년 6월의 실형이 선고되었다.

변호인 사퇴 요구도 용서 못할 일일진대, 그 요구를 거절했다고 해서 2년 반 전에 이미 수만 독자가 읽은 수필을 트집잡아 반공법으로 구속하다니 참으로 어이가 없었다.

청색 수인복으로 갈아입고 플라스틱 식기와 대나무 젓가락 두 개를 들고 교도관을 따라가다가 어느 방 앞에서 멈췄다. 그가 열어주는 감방 문으로 들어가니 덜커덩 소리를 내며 등 뒤에서 감방문이 닫혔다. 이제 완벽하게 갇힌 몸이 되었다. 가족 접견도 불허, 서적 차입도 불허, 거기에다 독거수용(獨居收容)이어서 더불어 이야기를 나눌 사람도 없는 절대고독이었다. 심지어 교도관들조차도 내 가슴의 빨간 딱지(간첩이나 국가보안법 또는 반공법 위반자의 식별 표지)를 의식해서인지 대화는 커녕 접근도 하지 않으려 한다. 그러니 혼자서 이런저런 생각을 두서없이 하면서 시간과의 싸움을 하는 수밖에 없었다.*

한승헌은 판사→검사→변호사를 거쳐 이제 피고인이 됨으로써 한국 사법사의 진기록을 갖게 되었다. 변호사 자격이 박탈된 그는 이후 각종 정치사건(시국사건)의 증인과 방청인이 되었다.

"워낙 재판을 서두르는데다 심상치 않은 징후가 있어서 변호인

---

* 한승헌, 〈'어떤 조사' 필화사건〉, 《분란시대의 피고들》, 365쪽.

단은 판사에 대한 기피신청을 냈다. 그런데도 재판부(단독 판사)는 재판을 계속 강행했으므로 그것을 또 하나의 기피 사유로 추가했다. 상례대로 기각결정이 난 것까지는 그렇다치고 그 결정 이유가 걸작이었다. '모든 국민은 헌법에 의하여 신속한 재판을 받을 권리가 있으므로' 재판 강행은 피고인을 위해서도 이롭다는 것이었다.

나를 잡아넣은 서울지검 공안부 부장검사와 나를 재판한 항소심 재판장이 모두 나의 고시동기생이었고, 변호인단에도 물론 동기생이 여러 사람 있었다."*

그해 9월 11일 공판에서 징역 1년 6월의 실형이 선고되고, 12월 항소심에서 유죄는 마찬가지였지만 3년간 집행유예가 선고되어 풀려났다. 이듬해 11월 대법원에서도 유죄가 확정돼 6년간 변호사업을 못 했다.

---

* 《정치재판의 현장》, 148~149쪽.

제 12 장

낭인시절 거쳐
출판업

9개월 만에 석방, 저작권 연구

한승헌은 서울구치소 2사(숨)상 5방에서 감옥살이를 하였다. 원래 약골인데다 그동안 정신적 육체적 시달림으로 소화기능 장애와 탈진으로 병사로 옮겨졌다. 변호인단이 보석을 청구했으나 기각되었다.

수감생활 9개월 만인 12월 19일 석방되었으나 1976년 11월 23일 대법원에서 유죄로 확정됨에 따라 변호사 자격이 박탈되었다. 이제 실업자 신세였다.

독립운동가에서 비롯되어 민주화운동가들에게 이어진 고통의 으뜸은 가족의 생계와 자제의 교육문제였다. 지금도 보수(수구) 쪽 인사들은 민주화운동 인사들을 '운동권' 운운하며 비하하지만, 대한민국이 민주국가가 되고 선진국으로 진입하는 데는 민주화운동에 신명을 바친 이들이 있었기에 가능했다.

그런데 막상 당사자들은(소수를 제외하고) 힘든 삶을 영위하였(한)다. 일자리가 주어지지 않았고 자본이 없어 창업도 어려웠다.

독기서린 정권 아래서 누가 나에게 생업의 문을 열어줄 리 없었다. 생각 끝에 어느 고시학원을 찾아갔다. 출입문을 열고 들어가자 강좌 내용을 안내하는 인쇄물들이 쌓여 있기에 그 중 한 장을 집어 들여다보았다. 내가 무슨 과목을 가르칠 수 있을까. 나를 써주기나 할까. 이런 생각을 하면서 시선을 옮기고 있는데 그곳의 안내 직원인 듯한 젊은 여성이 묻는다.

"사시예요? 행시예요? 무슨 시험을 준비하시는데요?"

나를 수험생으로 보고 묻는 그 말에 나는 순간적으로 반가움을 느꼈다. 아직은 내가 수험생으로 보일 만큼 젊다는 말이 아닌가. 낡아서 삐걱거리는 나무계단을 내려오는 발걸음이 몰지각하게도 가벼웠던 기억이 난다.*

백수로 여러 달이 지난 1976년 4월 한국사법행정학회에서 발간하는 월간 《사법행정》과 《법정》의 주간을 맡아달라는 제의가 왔다. 그나마 '권력의 독기'에서 벗어나 있는 학회여서 가능했을 것이다. 어렵게 마련된 '직장'에 열과 성을 다했다.

---

* 《자서전》, 202쪽.

감옥에 있을 때 독학으로 저작권법 분야를 공부한 것이 여러 면에서 도움을 주었다. 이어령 교수의 권고가 "머지않아 지식 중심의 시대가 오면, 저작권 문제가 크게 부각이 될 테고 그 분야의 공부를 해 두면 나라에도 크게 이바지하게 될 것"이라는 견해에 공감하여 연구했던 것이다. 감옥에서도 사회과학 분야는 차입이 불가했으나 저작권 관련 서적은 용인되어서 많은 공부를 할 수 있었다.

이때부터 그는 늘 마음속에 두고 온 인간의 정신적 창조를 존중하는 권리, 즉 저작권에 관한 연구를 본격적으로 개시하기로 하였다. 그리하여 1976년 12월 '한국저작권연구소'를 개설하고 소장이 되었다. 그것은 좌절된 변호사가 다시 명함으로 쓰기 위한 것이 아니었다. 그는 정말 열심히 이 방면의 연구에 힘을 기울여 많은 연구논문들을 발표하였다. 어떻게 보면 하늘이 그에게 연구할 기회를 주기 위해 '별 볼일 없는' 전직 변호사를 만들어 준 것 같다.*

---

* 최종고, 앞의 책, 79쪽.

출판사 '삼민사' 설립

40대 중반이 되었다. 1959년 11월 장남 규면이 태어나고, 1961년 11월 차남 규우, 1964년 장녀 경미, 1968년 3남 규훈이 출생하여 생활비와 한창 교육비가 많이 들 시기였다.

"변호사 자격을 박탈당한 나의 실업상태는 장기화될 조짐이 짙어 갔다. 변호사회와 종교단체 같은 데서 성금으로 도와주기도 했고, 심지어 아이들 등록금을 마련해준 분도 있었다. 하지만 무작정 아무런 수입 없이 살아갈 수는 없고, 무언가 생업을 개척해야 했다. 그 무렵, 권력에 밉보여 직장에서 추방된 '백수'들 중에는 출판사를 차리는 사람들이 적지 않았다. 이왕 머리에 '먹물'이 들어 있는데다 영세한 밑천으로도 시작할 수 있다는 출판의 이점이 작용했던 것이다. 그런 시류(?)에 따라서 나도 출판사를 생각하게 되었다."*

1970~80년대 한국출판계는 호황기였다. 정치적 탄압이 극심했던 시기에 출판계가 호황기였다면 역설이지만 사실에 가깝다. 정치·노동·학생운동계의 우수 인력이 출판업에 뛰어든 것이다. 공직이나 기업에 취직의 길이 막히면서 자영업을 택하였다.

의식이 있는 청년들은 기존 출판사에 취업하기도 하고 스스로 창

---

* 《자서전》, 205쪽.

업을 하였다. 소액의 자금으로 대부분 혼자서 하는 출판사였다. 그래서 정부의 압수와 금서조치 등 탄압에도 불구하고 많은 출판사가 설립되고 각종 우수 도서가 대량 출간되었으며, 그런 사정을 아는지라 국민(독자)은 책을 샀다. '불온서적'이란 관의 딱지 붙은 책은 은밀히 팔리고 거래되었다. 유통구조도 다양했다.

1978년 6월 도서출판 〈삼민사(三民社)〉를 아내 이름으로 등록신청을 하였다. 형식은 등록제였지만 실제는 허가제여서 당국은 재야 인사나 운동권 출신들의 출판사 등록을 방해하는 사례가 많았다. 그래서 아내나 가족 또는 친지 명의로 한 것이다.

교정보는 직원 한 명과 기획 · 원고청탁 · 수집 · 편집 · 교정 · 제작 · 영업을 하였다. 다행히 각계의 영향력 있는 인사들의 지원이 있었다. 함석헌 · 김재준 · 서남동 · 안병무 · 송건호 · 김중배 · 리영희 · 장을병 · 한완상 · 김낙중 등의 원고를 모을 수 있었다. 당국은 삼민사를 방치하지 않았다.

"첫 번째 나온 신간부터 납본필증이 안 나오고, 이른바 판금에 걸려서 문공부를 드나들어야 했다. 또 형사들의 방문을 받아야 했다."*

그는 자신의 출판사에서 수필집, 《내릴 수 없는 깃발을 위하여》, 평론집 《허상과 진실》, 《법창에 부는 바람》 등을 간행하였다. 삼민사는 반독재 민주인사들의 저서를 내는 출판사로 자리매김되고, 언론과

---

* 최종고, 앞의 책, 80쪽.

서점가에서 좋은 평가를 받게 되었다.

이 시기에 그는 그렇다고 '한가하게' 출판사나 운영하고 있었던 것이 아니다. 1979년 3월 재야민주인사들의 민주주의국민연합이 '민주주의와 민족통일을 위한 국민연합'으로 발전적 해체를 도모하면서 윤보선·함석헌·김대중을 공동의장으로 할 때 한승헌은 집행위원으로 참여하였다.

'국민연합'은 선언문에서 유신체제 철폐와 민주정부 수립을 당면 목표로 밝히고, 민주주의와 민족통일을 위해 평화적으로 투쟁할 것을 천명했다. 그는 시국사건 전담 변호사에서 이제 민주화운동의 활동가로 나선 것이다. 이 해 5월 국제앰네스티 한국위원회의 전무이사로 선출되었다. 이 단체의 조직과 운영의 책임을 맡는 자리였다.

추방자들의 모임 '으악새' 선언

유신시절 각계에서 쫓겨난 추방자들이 많았다. 직장을 잃고 거리를 헤매거나 칩거하면서 세월을 탄했다. 한승헌도 그중의 하나였다. 동병상련, 초록동색이 늘어났다.

"법조계에서는 판·검사 같은 공직을 '재조', 민간인 신분인 변호사 사회를 '재야'라고 한다. 그렇다면 재야에서 추방된 나의 현 주소는 어디인가? '황야'다. 거친 들판, 외롭다.

그런데 여기에서 쫓겨난 사람들을 이 바람 부는 벌판에서 만나게 된다. 그리고 한 시대의 운명적인 동승자라는 느낌을 안고, 서로 마음과 체온을 나누는 무리를 이루어간다."*

이런 추방자들이 이전전심으로 모여 만든 것이 '으악새' 모임이었다. 자칫 공안당국으로부터 '반국가 단체'로 낙인될까 봐서였는지 토속적인 이름을 짓게 된 것이다.

"1974년 12월 9일, 김상현·조연하·조윤형 전 의원들이 안양교도소에서 출감해 김상현 환영을 겸한 송년 모임에 한승헌·장을병·리영희·이상두·윤현·김상현·윤형두가 모여 '으악새' 모임이 만

---

* 《자서전》, 211쪽.

들어졌습니다. 나중에 김중배 · 한완상과 내가(임헌영—필자 주) 가입한 이 모임은 암담했던 유신통치 후반기에 마음 놓고 떠들고 노래하며 스트레스를 풀자는 취지라 모여서 맘껏 스트레스를 풀었습니다. 한승헌 변호사가 〈오늘 우리는 '체'에서 벗어나기로 한다〉로 시작하는 '으악새 선언'을 작성했는데 가히 명문이었습니다."*

대부분 실직자들이어서 주머니 사정이 넉넉할 리 없었다. 또 태생이 재야 아니면 황야 출신들이어서 싸구려 식당이나 선술집에서 만났다. 소주 몇 잔 들어가면 고복수의 〈짝사랑〉을 합창했다. 그래서 아예 모임 이름을 '으악새' 모임으로 정하였다. 뒷날 정보기관에서 그 이름의 함의와 배경을 캐느라 골치깨나 앓았다는 후일담이다.

으악새 선언

오늘 우리는 '체'에서 벗어나기로 한다.

허울 좋은 도덕의 멍에 때문에, 처세와 체면 때문에 '나'를 속박해온 '체'를 벗어 던지기로 한다. 자신을 학대해 온 1년을 묻어버리고, 있는 그대로의 '나'를 발산하기로 한다. 생각하면 얼마나 거짓생활에 이끌려 다녔던가. 우리의 고뇌와 피로를 알고 있는 것은 오로지 자신뿐이 아니던가. 화려한 위장보다는 처참하더라도 진실의 목소리를 우리는 그리워한다. 남을 속이는 기만보다는 자신을 속이는 일이 얼마나 고통스럽고도 불가한 것인가를 새삼 느낀다.

---

* 《문학의 길 역사의 광장 — 문학가 임헌영과의 대화, 대담 유성호》, 403~404쪽, 한길사, 2021.

이에 우리는 겉으로 그럴듯하면서도 내심으로 외롭고 불행했던 자신을 위로하기 위하여, 나아가 그런 위로라도 삼고자 이 해를 잊을 수 없는 비밀스러운 가슴을 마주 대하는 공동의 술상 앞에 나와 다음과 같은 행동강령을 전원의 뜻으로 선포한다.

1. 오늘 이 자리에서는 누구나 솔직해야 한다. 솔직할까 말까 망설이는 자는 천추의 한을 면치 못할 것이다.

1. 오늘 이 자리는 저질을 우대하는 자리다. 인간의 태어남이 곧 저질의 부산물인고로 저질을 욕하는 자야말로, 태어남을 욕하는 자니라.

1. 오늘 우리는 모든 것을 잊어버리도록 한다. 어제와 오늘뿐 아니라 내일도 잊어버리라. 내일 내일 하지만 언제 내일이라는 것이 한 번이라도 있어봤나. 기다렸던 내일이란 것도 당하고 보면 항상 오늘이었지 않은가.

1. 오늘 우리는 기분에 살고 기분에 죽기를 맹세한다. 사람에게서 기분을 빼놓으면 주민등록증 밖에 남을 것이 없다. 괜히 호마이카질 하지 말고 있는 그대로의 감정 발산에 일로매진하기를 다짐한다.

1. 만일 위와 같은 강령을 위반하는 자가 있거나 그로 인해서 이 자리의 무드에 금이 갈 염려가 있을 때에는 사회자가 본의 아닌 긴급조치를

취할 수 있다. 이 긴급조치를 위반하거나 비방하는 자는 아무런 벌도
받는 일이 없다.*

제 13 장

전두환
5공시대의 시련

날조된 김대중내란음모사건에 엮여

반유신 투쟁에 앞장선 민주인사들에게 1979년 10월 26일 중앙정보부장 김재규가 대통령 박정희를 저격 암살한 사건은 일종의 복음이었다. 투옥이나 수배 중 또는 직장에서 쫓겨난 사람들에게는 더욱 그러했을 터이다. 그리고 소망했던 민주화가 이루어지기를 기대하였다. 정국은 역류하고 있었다.

독재권력의 음지에서 정치공작과 치부로 권력의 단맛을 즐겨온 일단의 정치군인들이 12 · 12사태로 군권을 장악하고 이어 5 · 17쿠데타를 일으켜 정권을 도득(圖得)했다. 이들은 광주를 콕 찍어 분란을 일으키고, 정권유지에 저해된다고 판단한 김대중을 여기에 엮었다.

시국사건을 변호하다가 찍혀서 감옥살이를 하고 풀려서 생업으로 출판업을 하며 민주화운동의 일선에서 싸우던 한승헌에게 전두환 5공정권은 김대중 내란음모사건을 조작하면서 그를 끼워 넣었다. 김대중의 측근 이외 재야 및 학생운동 핵심 인사들을 연루시켜 민주화운동 진영 전체의 와해를 기도한 것이다.

광주를 찍은 것은, 박정희정권 18년 동안 호남차별정책으로 고립화된 그곳에서 설사 저항이 일어나더라도 타지역으로 번지지 않을 것이고, 이참에 눈엣가시와 같았던 김대중을 배후 조종자로 엮어 처리하는, 일석양조의 효과를 노리는 정교한 시나리오였다.

"10·26 사태 후 민주정부의 탄생을 기대해 본 것도 잠시였을 뿐, 난데없는 12·12와 5·17은 역사의 운행을 역전시키고 말았다. 당시 국제앰네스티 한국위원회의 운영책임을 맡고 있던 나는 5월 17일 밤 늦게 집으로 들이닥친 합수부 사람들에게 영문도 모르고 끌려갔다. 낯설 것도 없는 남산의 그 건물 지하2층에서 사흘 모자라는 두 달 동안 하늘 한번 보지 못한 채 온갖 수모와 가혹행위를 당하면서 조사를 받았다.

그 결과 세칭 김대중 내란음모사건의 조연급 피고인으로 선발되어 군법회의에 넘겨졌고 1심에서 4년 반, 2심에서 3년의 징역형이 떨어졌다. 서대문의 서울구치소에서 남한산성 밑의 육군교도소로, 그 다음엔 김천소년교도소로 이렇게 다양한 감방 편력을 하는 가운데 남다른 경험을 많이 쌓았다. 하필이면 나 혼자만을 소년교도소로 보낸 것

은 나야말로 소년처럼 천진난만하다는 사실을 정부도 인정했기 때문
이 아니겠느냐고 자랑도 했다."*

　　신군부는 5월 17일 쿠데타를 일으키면서 동일 저녁 늦게 '김대중
일당'을 구속 수감했다. 그리고 이들이 내란음모를 했다고 둘러씌웠
다. 정작 내란을 일으킨 자들이, 새총 한 자루도 갖지 않는 민간인들을
'내란음모'로 치죄한 것도 비상식이지만, 5월 18일 발생한 광주민주
항쟁을 이미 검거된 상태에서 배후 조종했다는 혐의는 낯간지러운 억
지였다.

　　"내가 실려간 서울구치소는 나에게는 '재수'였다. 재수 없이 또 걸
려든 '재수'. 그런데 이번엔 전에 없던 '곱징역'이었다. 교도관들을 못
믿어서인지 헌병들까지 들어와서 이중의 감시·관리하는 것이었다.
입소하는 날, 나를 데리고 감방으로 가던 교도관이 "개O 같은 세상 만
나서 고생 좀 하시게 되었습니다"라고 위로인지 연민인지 모를 말을
했는데, 그의 '개O 같은 세상'이라는 상말이 나에게 위로를 주었다."**

　　박정희 시대의 투옥이 예비고사격이었다면 전두환 시대는 본고
사에 해당되었다. 그때는 반공법 위반으로 엮였지만, 이번에는 내란음
모로 꾸몄다. 그리고 김대중이라는 정치인을 '처리'하려는 의도에서

---

* 한승헌, 〈친구여 그래도 새벽은 온다〉, 《나의 길 나의 삶》, 319쪽, 동아일보사, 1991.
** 《자서전》, 220쪽.

쓰인 시나리오여서, 비록 '조연급'이지만, 형량이 만만치 않을 것으로 예상했다. 재판 도중에 모든 피고인들에게 국가보안법 위반 혐의를 추가시켰다.

한승헌은 9월 17일 육군계엄군법회의에서 4년형을 선고받고 서울구치소에서 남한산성 밑에 있는 육군교도소로 이감되었다.

"그러던 어느 날 '사건'이 찾아왔다. 밖으로 불려나갔더니, 안기부 (종전의 중앙정보부가 그 무렵 국가안전기획부로 개명을 했다)에서 왔다는 두 요원이 나를 기다리고 있었다. 그들은 나더러 얼마나 고생이 많으냐 며 인사말을 했다. 그러면서 꺼내놓은 용건은, 각서 한 장만 쓰면 풀어 주겠다는 것이었다. 무엇을 잘못했다고 안 해도 좋으니, 앞으로 나가 서 법을 잘 지키며 살겠다고만 한 줄 쓰면 된다고 했다.

순간 여러 가지 생각과 계산이 머릿속을 스쳐갔다. 잠시 후 내 입 에서 나온 말은 "난 그런 거 쓰지 않고도 법을 잘 지켜왔는데"였다.

그들은 나에게, 몸도 허약하고 노모님도 계시지 않느냐, 잘 생각 해보라고 했다. 맞는 말이었다. 특히 병환 중에 계신 어머님을 생각하 면, 과연 무엇이 자식의 도리일까 하는 고뇌도 외면하기 어려웠다.

하지만 나보다 훨씬 가혹한 중형을 받은 '감방 동지'들의 얼굴이 떠올랐다. "그렇게 생각해주어서 고맙지만, 쓰지는 못하겠다"고 분명 하게 말했다.*

---

* 앞의 책, 228~229쪽.

김천소년교도소에서 수형 생활

재판은 여름에 이어 가을까지 계속되었다. 11월 13일 육군계엄고 등군법회의에서 징역 3년형이 선고되었다.

민간인이 군사재판에 회부되고 민주주의 국가들의 상례인 3심제 도가 사라진 2심제 군사재판이었다. 그는 최후진술에 나섰다. 20분 간 의 시간이 주어졌다. 다음은 그 요지다.

"내가 재판부에 요구하는 것은 우리들의 형기의 장단이 아니라 유 · 무죄를 제대로 판단해 달라는 것이다. 민주화를 요구한 우리들이 민주화를 약속한 정부에 의해서 체포된 것은 매우 코믹한 일이다. 우 리는 나라를 사랑하기 때문에 정부를 비판했다. 비판을 한 사람이 어 떤 대우를 받게 되느냐로 그 나라의 민주주의의 척도가 결정된다. 최 근의 사회적 혼란은 정부를 비판할 자유가 없기 때문에 일어난 것이 아닌가."*

기결수가 된 그는 군용차에 실려 행선지도 모르는 채 어디론가 끌려갔다. 창문에 스치는 방향은 남쪽이었다.

"나를 싣고 간 군용차의 종착지는 뜻밖에도 김천소년교도소였다.

---

* 한승헌, 〈5·17사건과 나〉, 《역사의 길목에서》, 51쪽, 나남출판, 2003.

나이 50을 향해서 '일로매진'하고 있는 나를 어찌하여 소년교도소에
다 집어넣었을까? 궁금증은 곧 풀렸다. 악독한 군사정권도 내가 소년
처럼 천진난만하다는 점을 도저히 부정할 수 없어서 나만 소년교도소
로 보냈구나. 이렇게 생각하니 마음이 편해졌다.

입주(?)하게 된 곳은 이른바 '특별사'라고 해서 외딴 독채에 나 한
사람만 수용되었다. 그 전까지의 독방생활이 그곳에서는 독채생활로
'격상'된 셈이었다. 그러나 방 5개로 된 작은 건물의 한가운데 방을 차
지하고 있으니 옆방도 또 그 옆방도 텅텅 비어 있는 불길한 고요함 속
에서 살아야 했다. 그런 중에도 나에게는 마음에 드는 일 한 가지가
있었다. 마치 학교교실의 유리창처럼 옆으로 여닫는 창문이 시야를
시원하게 넓혀주어 감옥살이의 답답함을 덜어주었다."*

나이 50을 바라보는 사람을 소년교도소로 보냈다. 그는 "소년처
럼 천진난만하다는 점을…"이라고 유머로 받아넘기고 있지만, 상식적
으로 이해가 안 되는 처사였다. 정보기관의 회유에도 도장을 찍지 않
고 하여 괘씸죄까지 추가되었을 것 같다.

이로써 그는 일반의 감옥살이 외에 군 형무소와 소년교도소까지
거치는 다양한 수형자가 되고, 뒷날 여성교도소만 빼고 다 다녔다고
너스레를 떠는 자료로 삼았다.

얼마나 미웠으면 소년교도소 독채에 가두고 좌우 앞의 모든 방을
공실로 하는 '무인도'의 옥살이를 시켰을까. 이 시기 그는 저작권법을

---

* 앞의 책, 57쪽.

비롯 동서의 문학작품을 폭넓게 섭렵했다.

"1980년도 서산마루에 걸리는 12월이 왔다. 나는 그만 풀려났으면 싶어서 하느님께 간절히 기도를 드렸다 성탄절에는 꼭 석방되게 해주십사고, 그러나 성탄절 특사는 나를 외면했다. 마음 단단히 먹고 징역살이를 계속하고 있는데, 다음해 5월 어느 날 뜻밖에도 석방되었다. 석가탄신일 특사에 낀 것이었다. 기도는 하느님께 드렸는데 석가탄신일에 석방된 것이다. 1년에서 꼭 1주일이 모자라는 동안의 '국비장학생' 생활은 이렇게 끝났다."*

---

* 앞의 책, 57쪽.

제 14 장
자유로운 영혼으로

전과 2범 '내릴 수 없는 깃발'

엿새 모자라는 1년 동안의 옥살이를 하고 형집행 면제로 풀려난 1981년 5월의 한국사회는 감옥 안이나 별반 다르지 않았다. 광주를 피바다로 만들면서 집권한 전두환이 3월 3일 제12대 대통령에 취임하고, 연초부터 창당된 여야 정당은 3월 25일 제11대 총선을 통해 의석을 분배하였다.

우선 쇠약해진 몸을 추스르면서 앞일을 구상했다. 예전에 참여했던 단체들 대부분이 5·17 광풍에 쓰러지거나 해체되었다. 여전히 옥고 중인 동지들도 적지 않았다.

진상이야 어떻든, 전과 2범이 되어 금쪽같은 40대에 6년이나(1983

년 복권까지는 8년) 본업을 잃고 실업자로 살아가자니, 예사로운 일이 아니었다.

그 무렵 청와대에서 한 번 만나자는 연락이 왔다. 이름만 대면 '아, 그 사람!' 할 만큼 널리 알려진 민정수석 이 아무개 씨였다. '내란 음모사건' 조사 때 남산 지하 2층 내 방에 들러 김대중 선생과 연관된 문제를 묻고 간 적이 있어서 초면은 아니었다. 그는 우리 집 형편을 걱정해주면서, 기업의 고문 변호사 자리를 주선해주겠다고 했다.

나는 "고맙기는 하나 받아들일 수 없다"고 말했다. 변호사 자격도 빼앗긴 사람이 고문변호사 노릇을 할 명분이 없으니, 내 변호사 자격을 빨리 회복시켜 주는 것이 진심으로 나를 위하는 길이 되지 않겠느냐고 했다. 그날의 만남은 외형상 평화롭게 결렬되었다. 그 후 서울특별시장으로부터 서신이 날아왔다. 봉서를 열어보니, 서울시 법률고문 위촉장이었다. 당시 서울시장은 모르는 분도 아니고 해서 정중한 회답을 보내 사양의 뜻을 전했다.*

권력이 내민 손길을 걷어차고 생업에 복귀하였다. 출판업이다. 우선 자신의 책부터 내기로 했다. 지난 날 발표했던 글과 새로 쓴 글을 모았다. 《내릴 수 없는 깃발을 위하여》란 제목과 부제를 '사회정의와 인간화의 길'이라 붙였다.

전두환이 창당한 여당의 당명이 '민주정의당'이었다. '정의'를 내걸면서 불의와 폭력을 일상화하고 있었다.

---

* 《자서전》, 242~243쪽.

거듭된 투옥과 '기름진' 유혹에도 불구하고 자신이 추구해온 '깃발'을 내릴 수 없었고, 불의와 비인간화가 지배하는 시대에 올곧게 살고자 하는 신념에서였다.

1983년 6월 26일자로 명기한 책머리 〈한 시대의 몸살〉에 시대의 앓음이 배인다.

"1974년에 《위장시대의 증언》을 펴낸 후 10년 만에 또 하나의 부끄러운 나의 분신으로 늦게나마 이 책을 세상에 내보낸다.

아, 그 10년! 역사에 대한 수모와 민족의 아픔이 날로 처절해 가던 그 통한의 시기에 나는 있어야 할 자리에 있지 못했고 써야 할 것을 쓰지 못했다. (……)

이 책에 실린 글들은 바로 그 몸살의 흔적이다. 다시 말해서 그것은 역사의 광풍에 시달리면서 씌어진 나의 고백이자 증언이며, 호소이자 다짐인 것이다.

배움, 생각, 의지―그 무엇 하나 부끄럽지 않은 것이 없건만 이 모든 것을 무릅쓰고 서툰 글을 한 책으로 묶는 까닭인즉, 이 시대의 몸살을 우리 모두의 것으로 함께 앓으며 내일을 위한 걱정과 공감을 더불어 나누고자 함에서이다."*

책은 제1부 역사와 삶의 좌표, 제2부 법치주의의 이념과 현실, 제3부 문화현상과 법의 기능, 제4부 내일을 위한 각서로 나뉘어 각 11편

---

* 한승헌, 《내릴 수 없는 깃발을 위하여》, 2~3쪽, 삼민사, 1983.

씩 총 44편의 논설·칼럼이 실렸다. 제3부는 저작권 관련 글로 채우고 있다. 책에서 두 대목을 뽑았다. '맛보기'랄까?

우리가 받들고 지켜나가야 할 민주주의가 시달림을 받는 정치풍토에서는 마치 유목민족의 거친 나날이 비판, 저항의 정신을 요구했듯이, 법률가들의 재야정신도 좀 더 강렬해져야 한다. 하지만 강렬해져야 할 필요 못지않게 그것을 약화시키려는 외부요인도 점증한다. 그러다보면 '마술로부터의 해방'을 중단하고 '억압적 관용'을 긍정하는 중성적 자기 체념에 자족하는 사람이 늘어난다. 국가권력의 눈초리를 두려워하지 않고 이것을 비판, 규탄함으로써 진실과 허위를 가려내는 일은 결코 쉬운 일이 아니다. 문자 그대로 불굴의 용기를 필요로 한다.*

……이처럼 유리창을 깨면 유리를 없애고 장기싸움이 벌어지면 장기를 없애버리는 방안은 오로지 교도관(또는 그들의 상부)의 책임을 더는 데 주안(主眼)이 있는 짓들입니다. 언젠가는 전(全) 재소자들의 파자마를 거두어간 일이 있지요. 그 이유를 물어보았더니, 어떤 재소자가 파자마 바지로 목을 매어 자살하려고 한 사건이 생겼기 때문에 앞으로의 재발을 막기 위해서라는 것이었습니다.
그 다음날 순시를 도는 한 간부교도관에게 내가 힐난했습니다.
"이봐요! 목매는 자살사고를 막는다고 파자마를 거둬가 버리면 됩니

---

* 〈민주사법과 변호사〉,《내릴 수 없는 깃발을 위하여》, 161쪽.

까?"〝만일 그런 사고가 또 나면 우리의 목도 흔들리는 판이니, 불편하시더라도 이해를 해주세요.〞"아니, 그런 얘기가 아니예요. 목매다는 사고를 근본적으로 막으려면 파자마를 거두어가는 것으로는 미흡해요. 그보다는 6천 명 전 재소자의 모가지를 전부 뽑아다가 보관하는 편이 훨씬 안심되는 대책이 아니냐 그 말이지요."*

---

*   〈우리(檻) 속의 무리들〉, 《내릴 수 없는 깃발을 위하여》, 89쪽.

'빵잽이' 이력에
개띠 동갑들의 '개판' 모임

"얼핏 보면 시골서 국민학교 교사나 면서기라도 하면서 고생깨나한 사람처럼 보이지만 가까이서 차근차근 볼수록 그 단단함이 마치선승(禪僧)이나 도사(道士)의 지력(志力)을 느끼게 한다.

한마디로 고난과 고민의 음조(音調)가 역력히 배인, 성스럽기까지한 용모 단아한 어른이시다. 역사와 권력으로부터 온갖 고난을 받고수탈당할 대로 수탈당하여 부정축재적 군더더기 살이라곤 찔래야 찔수 없이 수척해진 그분. 이 땅에 대학교수, 법률가, 문필가 등 많은 '지식인'들이 있지만 이처럼 고난을 함께 안은 지식인은 드물다."[*]

1980년대 한승헌의 모습이고 평생 유지된 형상이기도 하다. 권력이나 명예·물욕 따위에 욕심이 없었기에 행보가 자유로웠다. 그래서 동류 자유인들과 자주 어울렸다. 난세(일수록)에도 자유인들은 있었고, 우연(또는 필연)의 만남도 나타났다. '으악새' 모임에 이어 또 하나의 모임이 있었다. '개판'이다. 1981년 7월 어느 날 여러 사람과 함께설악산행이 이루어졌다. KNCC 인권위원회가 그동안 민주화운동으로고생(옥고)한 사람들을 위로·격려하는 의미로 마련된 행사였다.

---

[*] 최종고, 앞의 책, 69~70쪽.

"모처럼 뜻 맞는 이들끼리 어울린 설악산 나들이는 즐거웠다. 하지만 무더운 여름 날씨에 옥살이로 허약해진 몸을 이끌고 산길을 오르자니 힘이 부쳤다. 앞에 가는 사람 뒤를 따라 그럭저럭 발을 움직이다가 도중에 파라솔 매점 그늘에서 쉬곤 했다. 그러다 우연히 박현채 교수와 조화순 목사 그리고 이해동 목사와 나, 이렇게 네 사람이 간이 의자에 함께 둘러앉게 되었다.

아름다운 자연의 품에서 모두 해방감에 들뜨고 천진난만해져서 이런저런 방담을 나누었는데, 문득 우리 네 사람 모두 1934년생으로 개띠 동갑내기임이 확인되었다. 그리고 민주화운동을 하다가 빵잽이 신세를 겪은 전과자 경력도 공통점이었다."[*]

'개판'에 참여했던 이해동의 기록을 통해 좀 더 소상히 알아보자.

"이야기를 나누다보니 우리 네 사람에게는 두 가지 공통점이 있었는데, 하나는 시국문제와 관련하여 징역살이를 한, 이른바 '빵잽이(상습전과자를 부르는 은어)' 이력이다. 또 하나는 모두 개띠 동갑내기라는 사실이었다. 이내 우리는 동지의식에다, 동년배라는 동질감으로 마치 오래 사귄 친구들처럼 친숙해졌고 마침내는 '우리 자주 만납시다'라는 약속이 체결되었다.

그 후 우리는 서로 집을 돌아가면서 모임을 가졌다. 처음에는 개띠들 모임이라 '개파티'라고 이름을 붙였다가 역시 재기 넘치는 한 변

---

[*] 《자서전》, 246~247쪽.

호사가 '개들에게 무슨 파티냐, 개들에게는 '판'이란 말이 훨씬 어울린다'고 하여 '개판'으로 개명하는 데 만장일치 하였다. 이 '개판' 모임이 거듭되면서 자연스럽게 부인들 사이도 친분이 두터워졌고, 그러자 내외들까지 함께 어울려 음식과 정을 나누는 잔치판을 벌였다."*

'개판' 모임에는 얼마 후《한겨레》사장을 지낸 김중배 씨가 참여하여 모두 9명이 되었다.

"1970년대와 1980년대, 그 잔학했던 군사독재 하에서 우리들은 오직 사람이 사람답게 살 수 있는 환경, 즉 인간의 자유와 사회정의의 실현, 그리고 민족의 평화통일을 꿈꾸며 제각기 서 있는 자리에서 작은 몸부림을 친 대가로 감옥살이를 하게 된 동갑내기들이라는, 하나의 공통점만으로도 서로에 대한 신뢰와 애정의 농도는 짙을 수밖에 없었다."**

* 《이해동·이종옥의 살아온 이야기, 둘이 걸은 한길(1)》, 277~278쪽, 대한기독교서회, 2014.
** 앞의 책, 279쪽.

변호사 복권, 저작권 강의와 세계여행

언제부터인지 3·1절과 8·15는 위정자들이 선심을 쓰는 날이 되었다. 독재자일수록 즐겨하였다. 악법과 제도를 만들고 이를 지키지 않으면 처벌하고, 내란을 일으켜 권력을 장악하고는 성냥개비 하나 준비하지 않은 평화주의자들을 내란죄로 다스렸다. 그리고 때가 되면 마치 도량이 넓은 위정자인 척 사면 또는 복권한다.

한승헌은 1983년 광복절을 기해 변호사 자격이 복권되었다.

"우리 교회 목사님이 교인들에게 기쁜 소식을 전한다며, 한 아무개 변호사가 복권이 되었다고 하자 어느 부인이 '복권요? 얼마짜리 복권인데요?' 라고 묻더란 말을 들었다."*

다시 변호사 업무로 돌아왔다. 재개업인 셈이다. 태평로의 한 건물에 사무실을 차리고 재개업을 하였다. 많은 사람이 축하해주고 이런저런 사건 의뢰인이 찾아왔다. 그리고 '과외'의 일도 많았다.

"1983년 8월 15일 복권조치로 다시 변호사 사무소를 열고 소송업무를 재개할 수 있었다. 지난 어려웠던 시절을 회고하면서《유신체제와 민주화운동》(돌베개)이라는 책을 몇 사람이 함께 묶어 내기도 하였다. 1984년 9월 한국기독교협의회 재일(在日) 한국인위원회 위원으로 피선되었다.

---

* 《자서전》, 255쪽.

1985년 3월에는 한국저작권법학회가 창립되어 이사로 피선되었고, 4월부터는 중앙대학교 신문방송대학원에서 '저작권법'을 강의하였다. 정치적으로는 '민주화'를 표방한 6공화국이었지만, 사회적·문화적으로 해결되지 않은 문제들이 너무 많아 이 방면에 관심을 두고 노력을 기울여온 한승헌은 결코 한가할 수 없었다. 1987년 9월에는 《저작권의 국제적 보호와 출판》을 한국출판연구소에서 간행하였고, 1988년 3월에는 《저작권의 법제와 실무》(삼민사)라는 연구서를 냈다."*

제2차 투옥으로 국립호텔 독채에서 독습한 저작권과 관련한 의뢰가 의외로 많았고, 1985년 9월 학기부터 중앙대학교 신문방송대학원에서 저작권법 강의를 맡았다. 한국대학에서 저작권법을 독립된 과목으로 채택한 것은 이 학교가 처음이다. 그는 한국출판학회를 창립한 서지학자 안춘근, 바통을 받아 출판학회를 중흥시키고 《출판유통론》을 쓴 범우사의 윤형두 사장과 함께 이 분야의 개척자에 속한다. 무고한 '제2차 투옥'의 보상인 셈이다.

중앙대에서 10여 년 강의에 이어 서강대 언론대학원, 그 다음에는 연세대 법무대학원으로 이어진 대학강의는 변호사와 겸직이 가능해서 더욱 보람을 갖게 되었다.

뿐만이 아니었다. 저작권의 국제적 흐름을 익히고자 국제기구와 선진국을 방문하는 기회로 이어졌다. 세계교회협의회(WCC)의 지원으로 구미 8개국 저작권 기행을 하였다. 1986년 1월 스위스 제네바에 있

---

* 최종고, 앞의 책, 82쪽.

는 세계지적재산권기구(WIPO)부터 독일서적협회, 파리의 국제연합경제과학교육기구(UNESCO) 런던의 영국출판협회, 워싱턴의 국회도서관 등을 찾았다.

예상치 못했던 이 여행의 다리를 놔준 분이 있었다. 크리스천 아카데미 부원장으로 일하던, 제네바 세계교회협의회(WCC) 박경서 아시아 국장의 지원과 정보에 도움받은 바 컸다.

《민중교육》지사건 변론

그에게 변호사는 천직이었다. 5공시대에 시국사건은 유신시대 못
지 않았다. 유신의 정신적 유산(DNA)을 고스란히 이어받은 행태였다.
불의의 시대에 의로운 일을 하다가 구속된 사람들은 여전히 많았고,
그들을 외면할 수 없었다.

"1983년 말 이래 사회 각계각층의 민주화 요구가 계속 터져나오
자 전두환 정권은 정부 및 사회에 대한 어떤 종류의 비판에 대해서도
'좌경용공'의 딱지를 붙여 탄압하였다. 이러한 가운데 YMCA중등교육
자협의회 회원들이 주축이 되어 교육 현장의 문제의식을 모아 비정기
무크《민중교육》지를 1985년 5월 20일에 창간하였다. 《민중교육》은

일선 교사들의 시각에서 교육문제 해결의 방안 제시를 하고자 창간되었다. 《민중교육》은 창간되자마자 당국의 주의를 받았다.

6월 25일 서울 여의도고 교장 김재규는 서울시교위 학무국장에게 책자를 전달하였고, 학무국장은 그 내용에 대해 시교위 안기부 조정관에게 의뢰하였다. 이후 《민중교육》은 급속히 사건화되어 7월 16일 출판기념회는 종로경찰서의 원천봉쇄로 무산되었다. 7월 18일에는 시교위가 관련 교사들을 소환했으며, 7월 22일에는 유상덕 · 김진경 교사가 경찰에 연행되었다. 이후 문교부와 언론의 다양한 이데올로기 공세가 펼쳐졌다. 8월 8일부터 검찰의 형사처벌 방침이 보도되기 시작했고, 10일 유상덕 · 고광헌 교사 등 6명이 자진출두했으며, 8월 17일에는 김진경 · 윤재철 교사와 실천문학사의 송기원 주간이 국가보안법 위반 혐의로 구속되었다."*

한승헌은 법조계에 복귀한 이래 소설 《꼬방동네 사람들》(이동철 지음)의 실제 주인공인 허병섭 목사의 상고심 사건에 이어 다시 '민중교육' 사건의 변론을 맡았다. 이돈명 · 홍성우 · 김동현 변호사와 함께였다.

공소장은 그 첫머리부터 가공할 편견으로 가득차 있었다. 두 사람 모두 가정형편이 어려워 현실에 대한 불만이 컸다면서 가난 — 불만 — 현실비판 — 용공이라는 어이없는 도식을 내밀고 있었다.

* 《한국민주화운동사연표》, 437쪽.

재판이 열리자 검사는 한 피고인에게 이런 질문을 던졌다.

"피고인은 북한 공산집단이 대남적화통일을 목표로 하는 반국가 단체라는 사실을 알고 있지요?"

이런 질문에 대해서는 공소사실을 강력히 부인하는 피고인들도 거의 "예"라고 대답하는데, 이 피고인은 뜻밖에도 "모릅니다"라고 잘라버리는 것이 아닌가.

검사는 좀 당황스러운 표정으로 "아니, 북괴의 대남 적화전략도 모른단 말이오?"하면서 언성을 높였다.

피고인도 물러서지 않았다.

"북한의 신문을 볼 수도 없고 방송도 못 듣게 하는데 어떻게 북한의 대남전략을 안단 말입니까."

"구체적인 것까지는 모른다 하더라도 대략적인 것은 알고 있을 것 아니오?"

검사의 집요한 반복질문에 귀찮아졌는지 피고인은 "대략적인 것은 좀 압니다."라고 응수했다.

검사는 드디어 말꼬리를 잡았다는 듯이 "방금 전에는 아무것도 모른다고 하더니 대략적인 대남전략은 어떻게 알게 되었지요?"라고 다시 물었다.

피고인은 잠시 머뭇거리다가 입을 열었다.

"예비군훈련 가서 들었습니다."*

---

* 한승헌, 〈교육민주화 염원과 '용공 — 반미' 사이〉, 《실록(3)》, 467~468쪽.

윤재철 피고인의 뒷날 한 변호사 관련 기록이다.

"변호사 신문은 한승헌 변호사님이 하셨다. 미리 오셔서 조목조목 정리한 것들을 보여주면서 자세하게 의견도 묻고 지도도 해주셨는데, 아주 자상하신 것이 남이 아니라 한식구 같은 느낌이었다. 작은 키에 약간 가무잡잡한 얼굴이 꼭 시골에서 김매다 지금 막 올라오신 삼촌 같은 느낌이 들었다.

한 변호사님을 접견하고 감방에 돌아와서는 말씀해주신 것을 조목조목 머리에 떠올리며 답변을 구상하고 외우곤 했다. 지금 그 내용은 기억나지 않지만 한 변호사님이 교육이론가들 못지않게 교육문제에 관해, 이념적인 문제에 관해 해박한 지식과 정확한 판단력을 갖고 계신 것에 놀랐던 기억이 난다."*

---

* 윤재철, 〈교육민주화의 횃불〉, 《실록(3)》, 488~489쪽.

부천서 성고문사건과 '보도지침사건' 변론

1986년 6월 6일 경기도 부천경찰서에서 이른바 성고문 만행이 벌어졌다. 문귀동 경장이 위장취업(주민등록증 위조 혐의)으로 구속된 서울대 휴학생 권인숙 씨를 조사한다는 핑계로 추악한 성폭행을 저질렀다.

검찰과 공안당국은 권 씨의 성폭행 주장을 "혁명을 위해 성까지 도구화하는 급진 좌경세력의 상습적 전술"이라고 매도하는 등 말기적 모습으로 일관하였다. 166명의 변호사들이 변호인단을 구성하면서 대응에 나섰다. 한승헌도 앞장 섰다.

독재정권은 자유로운 언론을 적대한다. 전두환 정권은 쿠데타 직후 언론통폐합 등 언론계를 짓밟고, 172개 정기간행물의 등록을 취소했다. 그리고 이른바 '보도지침'을 통해 전국 각 언론기관을 통제하였다.

"5공 치하의 한국언론은 '보도지침'에 의해 조종당하는 '관제언론'으로 정평이 나 있었다. 보도지침이란 전두환 정권의 문공부 홍보조정실에서 날마다 언론사 편집국(또는 보도국)에 은밀하게 시달리는 보도통제의 지침이었다.

1986년 9월 당시 민주언론운동협의회(민언협)기관지였던 《말》지에 바로 이 보도지침의 구체적 내용이 폭로되어 세상을 들끓게 하였다. 그 사건으로 한국일보 김주언 기자, 민언협 사무국장 김태홍, 실행위원 신홍범 등 세 사람이 구속되었다.

《말》지에는 1985년 10월부터 1986년 8월까지 약 10개월 동안의 보도지침이 날짜별로 자세히 수록되어 있어 정부로서도 달리 발뺌할 여지가 없었다. 그런데도 전두환 정권은 도리어 그 폭로자를 구속했으니 완전히 적반하장격이었다. 죄명도 걸작이었다. 국가보안법·집시법 위반에다 외교상 기밀누설죄와 국가모독죄까지 첨가되었다.[*]

한승헌은 고영구·조준희·홍성우·황인철·이상수·조영래·김상철·박원순·신기하·함정호 등과 변호인단을 구성하고 재판에 대처하였다. 7차 공판의 날 검찰의 논고가 끝난 뒤 변호인단의 변론이 있었다. 한승헌이 나섰다.

"이 사건에 대한 재판은 하기 전에 이미 결론이 나 있었다고 본다. 오늘의 보도지침 사건 심판의 대상은 보도지침을 폭로한 세 분의 행동이 아니라 보도지침 그 자체이며, 그것을 고안 활용해온 압제자들이기 때문이다. 아직도 남은 일이 있다면 집권세력이 국민 앞에 당장 그런 괴물을 없애는 결단을 내림으로써 개전의 정을 보여야 한다는 것이다. …… 이것은 보도지침을 통한 언론통제 그 자체에 못지 않은 죄악상이다. 비유컨대 이것은 불낸 자는 그냥 두고서 119에 신고한 사람을 잡아간 격이다. 아니, 불을 낸 자가 화재신고자들을 잡아다가 심문한 셈이 되었다.

---

* 한승헌, 〈정부 '보도지침' 폭로를 '기미누설·국가모독'으로〉, 《실록(4)》, 283쪽.

방화와 소방의 업무를 맡은 자라면 화재신고를 한 사람에게 감사하고 뒤늦게나마 진화작업을 하고 화인을 규명하여 범인을 처벌했어야 한다. 그런데도 이 경우에는 외친 자를 구속하는 데만 급급했지 민주언론과 나라의 근본기틀을 불태우고 있는 악의 불길은 그대로 방치하고 있으니 개탄을 금할 수가 없다."*

---

* 김태홍·신홍범·김주언, 〈5공의 언론통제에 대한 일격〉, 《실록(4)》, 296쪽.

6월 민주항쟁에 앞장서다

5공정권의 폭력성은 멈추지 않았(더욱 가혹하게 이어졌)다. 1986년 10월 28일 건국대에서 전국 26개 대학생 2천여 명이 4일간 철야농성을 하자 1,295명을 구속하고, 1987년 1월 14일 남영동 분실에서 서울대생 박종철 군을 고문치사했다. 4월 13일에는 전두환이 '호헌조치'를 선언하고, 6월 9일 연대생 이한열 군이 시위 중 최루탄에 맞아 사경에 이르렀다.

5월 27일 민주당 · 신구교 · 재야단체 등 발기인 2,191명이 민주헌법쟁취국민운동본부(국본)를 발족하고 4 · 13조치 철회 및 직선제개헌 공동쟁취를 선언했다. 국본은 상임공동대표와 상임집행위원(상집)을 두고, 각 지역마다 지부가 설치되었다. 법조계에서는 정법회(正法會) 회원들을 중심으로 74명의 변호사가 참여하고 한승헌은 상임공동대표, 고영구 변호사가 공동대표, 이상수 · 김상철 · 박용일 변호사가 상집을 맡았다.

국본을 중심으로 국민살인정권 규탄과 직선제 개헌을 요구하는 국민대회가 전국에서 동시다발적으로 열렸다. 국본에 참여한 변호사들은 결행 시각인 6월 10일 서울 세종로 변호사회관에 모여 결의를 다졌다.

"상임공동대표인 내가 '왜 우리는 오늘 이 항쟁의 거리에 나가지 않으면 안 되는가'에 대한 참여의 변(辯)을 하고 무리지어 거리로 나섰다. 얼마 못가서 경찰과 부딪힐 것이라는 예상과는 달리 우리의 행진은 순조로웠다. 광화문 지하도를 거쳐 조선일보사 앞을 지날 때는 경찰이 우리를 막기는커녕, 길을 열어주기까지 해서 오히려 이상했다. 알고 보니, 멀쩡한 넥타이 신사의 무리가 광화문 쪽에서 오는 것을 보고, 우리를 정부 공직자들로 오인한 듯하였다.*

변호사들이 시국문제로 거리시위에 나선 것은 이때가 처음이었다. 한승헌은 6월민주항쟁에 앞장섰다. "나는 상임공동대표라는 직함 때문에 부득이 맨 앞장을 서지 않을 수 없었는데, 백골단을 보니 이번엔 당하는구나 하는 생각이 들었지만, 임진무퇴 외에 달리 퇴로는 없었다. 다행히도(?) 백골단과의 사이에 험악한 충돌은 발생하지 않은 채 해산을 당했다. 시위에 참가한 변호사는 두 번 모두 각 30명쯤이었다고 기억된다."**

6월 민주항쟁은 노태우의 6·29선언과 직선제개헌 등으로 상당한 성과를 얻었으나, 야권의 분열과 부정선거로 정권교체에 이르지는 못하고 말았다.

6월항쟁이 끝난 뒤 명동 향린교회에서 열린 평가 모임 겸 감사예배에서 한승헌은 말한다. 치과의사들의 참여를 '이를 갈면서'라는 유

---

* 《자서전》, 283쪽.
** 앞의 책, 284~285쪽.

머로 표현하는 위트를 던졌다.

　이번 6월항쟁이 어느 정도 성과를 거둔 것은 종전의 데모세력이 아닌 사람들, 가령 의사 · 간호사 · 교사 · 중소상공인 · 샐러리맨 등이 참여하여 그야말로 범국민적인 저항이 가능했기 때문입니다. 그중에서도 대구지역 치과의사들이 맨 먼저 참여했습니다. 여러분, 그 이유를 아십니까? 그들은 날마다 이를 갈면서 살아왔기 때문입니다.[*]

━━━

[*] 앞의 책, 286쪽.

제 16 장
멈추지 않는 활동

'민변' 참여, 현판 글씨 지금도

　　민주화를 바라는 국민의 염원과는 달리 1987년 12월 실시된 제13대 대선은 전두환의 후계자 노태우가 당선되었다. 민주진영의 좌절·패배감은 엄청난 트라우마를 일으켰다. 법조계도 다르지 않았다.

　　74명의 변호사들이 '국본'에 참여하고 집단시위까지 벌였던 이들은 "국가권력의 조직적 억압에는 조직적으로 대응하는 것이 효과적이라는 데 공감"*하고 창설한 조직이 '민주사회를 위한 변호사모임'(민변)이다.

　　1986년 망원동 수재사건과 구로동맹파업사건을 계기로 설립된 '정의실현법조인회(정법회)'와 6월항쟁 등 민주화운동에 참여한 젊은

---

*　《자서전》, 287쪽.

변호사들의 모임인 '청년변호사회(청변)'가 1988년 5월 28일 합치면서 민변이 창립되었다. 초대 간사는 조준희 변호사였다.

민변은 회원이 늘어나면서(약 1천여 명) 총 15개의 위원회와 서울 외에도 8개의 지부가 구성되었다. 민변의 각급 위원회는 사법국제연대 · 노동 · 미디어언론 · 여성인권통일 · 환경보건 · 미군문제 · 과거사청산 · 민생경제 · 교육청소년 · 소수자인권 · 국제통상 · 아동인권 · 디지털정보위원회 및 다양한 TF와 연구모임과 공익인권변론센터가 별도로 설치되었다.

"나는 본시 '단체 선호형'이 아니어서 집단의 형성에는 소극적인 사람이지만, 정법회나 민변의 시동에는 적극 찬성이었다. 언제 끝날지도 모르는 군사독재의 암울한 기상이 나를 그렇게 만들었다. 그런 변호사 모임이 출범할 때 내가 한 일이라고는, 정동에 있는 배제빌딩에 민변 사무실을 마련하고 개소식을 하던 1987년 7월 7일, '민변'의 현판을 만들어가지고 가서 걸어준 것뿐이었다.

간판 글씨를 써달라는 부탁을 받고, 이거라도 해서 '맨손'(수수방관)을 면하자 싶어 서툰 붓글씨나마 정성들여 써가지고 인사동에 가서 판각(板刻)을 해서 들고 갔던 것이다. 그 현판은 서초동 민변 사무실 문지방에 그대로 걸려 있다."*

민변은 그동안 군사정권과 역대 부패권력 하에서 시대적 징표의

---

* 앞의 책, 289쪽.

역할을 하였다. 5 · 18진상규명 및 학살책임자 처벌을 요구하는 가두시위, 안기부법 · 노동관계법 날치기 통과에 대한 항의농성 등 집단행동과, 박종철 군 고문치사사건을 비롯 주요 인권침해사건의 조사활동 등 인권 · 사회정의 구현에 다양한 활동을 하였다.

한승헌은 이 시기 50대 초반으로 중진급에 속했지만, 젊은 변호사들과 토론하고 집단행동에도 빠지지 않았다. 그의 〈법조인의 멋〉이라는 글에서 변호사의 시대적 역할을 찾을 수 있을 듯하다.

"크게는 사회정의와 인권수호의 일선에 나서는 일, 작게는 한 개인의 억울함을 풀어주는 일, 누구의 간섭도 받음이 없이 오직 법과 양심에 따라 파헤치고 싸우고 매듭짓는 신념, 이런 게 변호인의 멋으로 통할 수도 있다. 그렇지만 그런 것은 독선이나 오만 또는 자기과신의 흠이 끼여들지 않을 경우에 한하여 가능하다.

그런데 지금 우리나라 법조계는 당장 내세우거나 앞으로 기대할 멋보다는 퇴색되고 망각되어가는 것이 멋이 더 많은 것 같다. 참멋을 추구하고 가꾸기보다는 현실에 투항하여 겉멋이나 살리려는 풍조가 너무나 거센 탓일까?"*

* 한승헌, 《법과 인간의 항변》, 363~364쪽.

일복 타고나,《한겨레》창간위원장

　　그는 '일복(福)'이 많았다. 일복을 타고난 사람 같았다. 작은 체구 어디에서 그토록 열정이 솟구치고, 많은 일(글)을 할(쓸) 수 있었는지 의문이 따른다. 마지못해 한 일도 있었을 터이고 사명감에서 맡게 된 업무도 많았을 것이다.

　　다음은 이 시기에 그가 맡은 주요 변론사건이다.

　　△기독교사회문제연구원사건 △부천서 성고문 규탄대회사건 △광주희생자 추모식사건 △'이부영 은닉' 위장사건 △목요기도회 설교사건 △전북대 총학생회사건 △고려대 신문방송연구소사건 △백범시해범 안두희 응징사건 △호남대 교수 해직사건 △6월 민주항쟁사건 △민중미술 '진달래' 걸개그림 얼개사건 △국회공무원 집단면직사건 △안동미사 인권강연사건 △남북작가회담 추진사건 △한겨레신문 방북취재기획사건 △문익환목사 방북사건 △임수경양 방북사건 △'한국근현대민족해방운동사' 사건 △전민련 창립선언문사건 △'기독교와 민족통일' 강연사건 △작가 황석영방북사건 △북한판 '해방조선' 출판사건 △남북작가회담 추진사건 △통일운동가의 간첩연계사건 △《즐거운 사라》 필화사건 △구국전위사건 △김일성주석 조문기도사건 △역사학 교수의 간첩연계사건 △'성남외국인노동자의 집' 사건 △불교 인권운동스님 수난사건 △감사원장서리법의 논쟁사건 △효성가톨릭대 교수 해임사건 △노무현 대통령 탄핵심판사건 등이다.

노태우 정권에서도 민족·민주·민중운동에 참여하다 권력에 찍히거나 법의 올가미에 걸린 인사들은 그를 찾았고, 그는 이를 마다하지 않았다. 수임료가 많은 대기업의 경제관련 사건의 의뢰는 극구 사양하였다. 아무리 변호사가 선택의 자유가 주어진 직업이라지만, 그는 자신이 맡아야 할 사건은 분명해 보였다.

정치의 극심한 악천후 속에서 인권변호사로 활동하면서 가장 안타까워한 부문은 언론이었다. 언론이 제대로 시비곡직의 기능만 해도 정부의 상습적인 폭력화된 권력행사는 자제될 수 있을 터였다. 해서 오래 전부터 자유언론·민주언론의 존재를 갈망해왔다.

6월항쟁의 산물로 진보성향의 시민단체가 조직되었다. 전국교직원노동조합(전교조), 전국민주노동조합총연맹(민주노총), 경제정의실천시민연합(경실련), 한국여성단체연합(여연), 전국민족민주운동연합(전민련), 한국여성단체연합(여연), 전국민족민주운동연합(전민련), 민주주의와 민족통일을 위한 전국연합(전국연합) 등이다.

《한겨레신문》도 그중의 하나였다. 자유언론운동을 펴다가 《동아일보》와 《조선일보》에서 쫓겨난 해직기자들과 1980년 전두환 군부에 의해 추방된 해직기자들이 중심이 되어 1987년 9월부터 새신문 창간을 위한 준비를 서둘렀다. 마침내 세계 언론사에 유례가 없는 국민주주운동으로 6만여 주주가 힘을 보태어 1988년 5월 15일 창간호를 발행했다. 바로 《한겨레신문》이다.

한승헌은 창간위원장으로 선임되어 신문창간에 힘을 보태었다.

그후 창간위원회는 자문위원회로 바뀌고, 사장을 선출하는 경영자문위원이 되어 활동하였다. 오래 전부터 기대했던 자유언론의 출생에 산파역을 한 것이다. 1971년에 쓴 글에서 그의 언론관의 일단을 엿볼수 있다.

"권부(權府)가 허용하는 자유 안에서 떠드는 것은 참된 자유가 못된다. '법이 허용하는 자유'를 현실로서 쟁취하기 위하여 저항하는 것이 올바른 자유에의 길이며, 언론의 본분임을 통감해야 한다. 국가의 안보도 궁극적으로는 민주사회를 수호하기 위하여 요청되는 것일진대 근래와 같은 침묵과 추종이야말로 안보의 본말을 전도시키는 언론의 과오라는 것을 지적해두고 싶다."*

---

* 한승헌, 〈국리(國利) 개념의 착란과 언론〉, 《기자협회회보》, 1971년 1월 8일.

문익환 · 임수경 방북사건 변론

노태우 정권은 박정희의 같은 뿌리에서 태어났으나 앞선 전두환 정권과는 다소 결이 달랐다. 6월 민주항쟁으로 국민의 정치의식이 한껏 고양되었고 여소야대(초기) 정국이어서 독재권을 행사할 계제가 못 되었다. 여기에 1988년 9월 서울올림픽이 예정되었다.

노태우는 1988년 7월 7일 대북정책 특별선언을 발표, 유화정책을 제시했다. 1989년 1월 동구 공산국가와는 최초로 헝가리와 수교하고, 현대그룹 정주영 명예회장이 북한을 방문하고, 평민당 의원 서경원의 방북, 3월 문익환의 방북에 이어 6월 30일 전대협 대표 임수경이 제3국을 통해 평양에서 열리는 청년학생 축전에 참가했다.

잇단 방북소식에 한승헌은 불안감을 갖게 되었다 보수(수구) 세력이 자기네가 밀리고 있다는 위기의식을 공유하면서 방북사건을 국면전환의 기회로 삼지 않을까 우려한 것이다.

"나는 남들과는 좀 다른 의미에서 걱정이 되고 심란했다. 먼저 걱정이란, 문 목사님의 방북을 구실 삼아 막 힘겹게 진행되고 있던 '5공청산' 작업이 물건너가는 것은 물론, 공안정국을 조성하여 억압정치로 돌아가지 않을까 하는 염려였다. 심란했던 이유인즉, 문 목사님이 귀환한 후에 벌어질 재판(변호)을 생각하니 엄두가 나지 않았던 것이다. 내가 문 목사님 사건의 변호를 맡는다는 것은 선임 여부가 새삼스러운 '자동

케이스'였다. 그럴 만한 사이였고, 그렇게 해야 할 의무를 느꼈다."*

문익환은 국가보안법위반 혐의로 구속되고 보수언론들은 때를 만난 듯이 연일 비난을 퍼부었다. 한승헌은 박원순·박용일·천정배·조승형·박병일·이경일 변호사와 함께 변호인단을 구성하여 힘겨운 법정싸움을 전개하였다.

문익환은 검사에게 "나를 기소하지 말아 달라. 만일 기소를 한다면, 7·7선언과 유엔 연설에서 북한을 동반자라고 한 노태우 대통령의 공신력과 명예에 먹칠을 하는 결과가 되기 때문이다"고 진술하였다.

검찰이 무기징역을 구형, 재판부는 10년, 항소심에서 7년을 선고하고, 대법원이 상고를 기각하여 형이 확정되었다. 변호인단은 재판부 기피신청 등 노력했으나 성과를 내지 못했다. 임수경은 그를 데리러 미국에서 평양으로 간 문규현 신부와 함께 8월 15일 판문점을 통해 남한으로 돌아왔다. 그는 현장에서 국가보안법위반 혐의로 구속되었다. 한승헌은 이번에도 변호인단의 일원으로 참여했으나 '공안' 검찰과 한 묶음이 된 사법의 문턱을 넘기는 쉽지 않았다.

1심에서 임수경 징역 10년, 문규현 8년. 항소심에서 두 사람 다 징역 5년이 선고되었다. 두 사람은 1992년 성탄절 전야에 석방되었다. 한승헌은 임수경의 변론을 맡았고, 서강대학교 언론대학원에서는 사제간으로, 그리고 그의 결혼식 주례를 서는 것으로 인연을 맺었다.

---

* 《자서전》, 303쪽.

"집에 돌아온 나는 미처 마치지 못한 학생 신분으로 돌아갔고 대학을 졸업한 뒤에는 대학원에 진학했다. 이곳에서 나는 다시 한승헌 변호사님을 만났다. 이번에는 교수와 학생의 입장으로였다. 2학점짜리 '저작권론' 강의로 인해 나는 일주일에 한 번씩 그분과 만날 수 있었다.

변호사로서 그분은 피고인인 나의 무죄를 몇 번이고 강조하셨지만, 선생님으로서는 학생의 입장이 된 나의 학습 태도가 썩 마음에 들지는 않으셨는지 최상급의 학점을 주지는 않으셨다. 사실 '저작권론' 수강 신청을 할 때 '설마 한승헌 변호사님이…' 하는 생각도 없지는 않았다는 사실을 고백해야겠다.

아, 오해는 없기 바란다. 나는 한승헌 교수님께서 주신 학점에 대해 만족하고 있고, 내 학습 태도에 비해 과분하다는 생각도 갖고 있다. 그분은 어떤 입장에서건, 변호사건 선생님이건 간에, 공정한 입장을 갖고 계시다는 것을 말하고 싶을 뿐이다."*

* 임수경, 〈민족의 분단을 넘어〉, 《분단시대의 피고들》, 623쪽.

김대중 납치사건 진상규명활동

1992년 12월 18일 제14대 대통령 선거가 실시되었다. 오랫동안 민주화운동을 하던 김영삼이 민주자유당(민자당) 후보로 나서 당선되었다. 민자당은 1990년 1월 22일 노태우 · 김영삼 · 김종필의 3개 정당이 합당하여 만든 보수정당이다. 낙선한 김대중은 정계은퇴를 선언했다.

박정희의 5 · 16 쿠데타 이후 30여 년 만에 문민정부가 들어섰지만, 권력의 중심축은 박정희 ─ 전두환 ─ 노태우 정권으로 이어진 인맥이었다. 그럼에도 국민의 문민정부에 대한 기대는 드높았다.

이 같은 분위기에서 1993년 8월 13일 서울 여의도 63빌딩 국제회의장에서 '김대중선생 생환 20주년 기념모임'이 열렸다. 1973년 도쿄에서 중앙정보부 요원들에게 납치되어 생환한 지 20년이 되도록 진상규명이 이루어지지 않고 있는 상태였다.

한승헌은 생환기념행사의 준비위원장을 맡았다. 많은 사람이 '생환'과 함께 납치사건의 진상규명을 원하였다. 막판에 갈라섰지만 양김은 오랜 민주화의 동지이고 이제 승자와 패자로 입지가 변하였다. 김영삼 정부에서 김대중 납치사건의 진상을 밝힐 수 있을 것으로 기대하고, 9월 10일 '김대중선생 납치사건 진상규명을 위한 시민의 모임'이 결성되었다.

강원룡(목사) · 박세경 변호사 등이 고문, 강문규 · 김상근 · 유시

춘·이문영·지선·이해동·하경철·한영숙·한정일·함세웅·조
송현·이경배 등이 실행위원으로, 한승헌과 가톨릭 여성공동체 회장
윤순녀가 공동대표를 맡았다.

　한승헌은 역사의식과 정의감이 남달랐다. 야당 대통령 후보를 정
부기관이 납치하고, 한일 양국정부가 정치적 야합으로 사건을 엄폐
해온 데 분개하지 않을 수 없었다. 각종 시국사건 변론을 자청한 것도
역사의식과 정의감의 같은 맥락이었다.

　"한승헌의 글을 읽으면서, 그리고 그의 행동을 보면서 역사의식
에 투철한 인물이라는 것을 느끼게 된다. 역사 속에서 바르게 살려는
인간이라면 역사의식이 강할 수밖에 없는 것이겠지만, 한승헌은 그것
을 글로 증언으로 남기고 후일의 역사발전을 기약하는 초석으로 삼으
려는 뜻이 풍기고 있다."*

　그는 납치사건의 진상을 규명하고자 동분서주했다. 일본 측 진상
조사위원회와 연대하여 활동하고, 국내외의 문헌·자료·증언을 수
집·정리한《김대중 납치사건의 진상》을 간행, 출판기념회를 통해 한
일 두 나라 정부에 진상규명을 거듭 촉구했다. 또한 김영삼 정부에 민
관합동 조사기구의 구성을, 국회에 국정조사권의 발동 또는 특별조
사 기구의 설치를 요구하였다. 오랜 세월이 흐른 뒤 노무현 정부에서
2007년 10월 '국정원 과거사건 진실규명을 통한 발전위원회'가 조사

* 　최종고, 앞의 책, 95쪽.

결과를 발표했다.

　"이 사건을 조사한 국정원 과거사건 진실규명을 통한 발전위원회는 2007년 10월 조사결과 발표에서 이 사건을(박 대통령의) '사전 지시 가능성' 또는 '묵시의 가능성'이란 우회적 표현으로 얼버무렸다. 그러나 박 대통령의 범행 지시와 살해 목적의 범행이었음을 인정할 만한 사실을 밝혀놓은 점을 평가하며, 다만 일부 미진한 조사나 우회적인 표현은 이번 조사의 제약과 한계를 드러내는 일면으로 이해하는 수밖에 없다.
　이 사건은 정치적 반대자에 대한 국가폭력의 무도함과 진상 은폐, 책임 회피라는 이중, 삼중의 공권력 범죄로서 인혁당 재건위사건과 아울러 박 정권의 최대 오점으로 남을 수밖에 없다."*

---

* 《자서전》, 315쪽.

동학농민혁명기념사업회 이끌어

그의 관심·연구 분야는 다양했다. 학자의 학문적 다양성은 흔한 일이지만 법조인의 경우는 그렇지 않는 편이다. 우리나라 지식인 치고 동학농민혁명에 관심을 두지 않는 이는 없을 것이다. 한승헌의 경우는 많이 달랐다.

그는 동학 관련 여러 편의 글을 쓰고 역사의 뒤안길에 방치되었던 동학농민혁명을 기리고 재조명하는 일에 적극 나섰다. 1993년 11월 사단법인 동학농민혁명기념사업회를 조직하고 이사장을 맡았다. 이에 앞서 1984년 동학농민혁명 100주년을 계기로 '동학농민혁명 100주년 기념사업단체협의회의' 공동대표를 맡았으며, 1996년 5월에는 일본 홋카이도대학에 90년 동안 방치되어 있던 동학농민군지도자 유골을 한국으로 봉환하는 일을 성사시켰다. 여기에는 동학농민혁명 유족회, 천도교, 동학농민혁명기념사업회가 참여한 봉환위원회의 상임공동대표의 자격으로 참여하였다.

그가 동학농민혁명에 각별했던 데는 자신의 고향인 전북이 동학혁명의 진원지라는 자부심도 깔렸을 듯하다.

"올해가 바로 1894년에 우리 고장을 진원지로 하여 일어났던 동학농민혁명의 100주년이 되는 해라는 사실을 유념하는 사람은 그리 많지 않은 것 같다."*

---

* 한승헌, 〈동학농민혁명100주년〉, 《전북일보》, 1994년 1월 1일.

동학농민혁명은 긴 세월 동안 동학란 · 동비란, 갑오란 등으로 불리고, 지배층으로부터 배척되었다. 수많은 동학농민군을 학살한 일제의 폄훼는 더욱 심했다.

"생각건대 동학농민혁명은 한국현대사의 위대한 기폭점이었음에도 불구하고 아직도 정당한 평가를 받지 못한 채 '동학란'이란 표현을 쓰던 일제와 다름없이 민란이나 폭동쯤으로 격하시키려는 사람들이 있다. 특히 국민 위에 군림하여 탐학을 일삼는 지배계층이나 그 추종자들에 의하여 직 · 간접으로 왜곡되거나 외면당해 왔다. 이런 풍토를 바로잡고 올바른 역사관을 확립하기 위해서 기념사업회는 많은 사업을 전개하여 왔다."*

그동안 동학농민혁명에 관한 연구는 일부 진보적 사학자와 재야 사학자들에 의해 재조명되고, 경향 각지의 후손 · 연구자들의 기념사업회가 발족하면서 뒤늦게나마 역사의 현장으로 떠올랐다. 이런 과정에서 한승헌의 역할도 적지 않았다.

"사단법인 동학농민혁명기념사업회가 발족된 어언 10년째로 접어들었다. 그 동안 해마다 여러 가지 행사를 해오는 가운데 농민혁명에 대한 바른 이해와 깊은 연구 그리고 혁명정신의 선양, 계승, 발전을 위하여 한몫을 했다는 자부심도 갖게 되었다.

---

* 앞과 같음.

하지만 아직 손도 대지 못한 중요한 과제가 있으니, 그것은 역적의 누명을 쓴 채 목숨을 거둔 농민군들의 명예회복과 국가유공자 추서에 관한 일이다."*

동학농민혁명 봉기일이 국가기념일로 지정되는 등 역사적 재평가 작업이 진행되었으나, 전봉준 · 김개남 · 손화중을 비롯 주도자들의 서훈은 아직도 이루어지지 않았다. 한승헌은 오래 전부터 이 문제를 제기하였다.

그렇다면 이제 농민군들의 명예회복과 국가유공자 서훈의 법적 조치가 이루어져야 한다. 결론부터 말하자면, 현행 '국가유공자예우 등에 관한 법률'에 의하더라도 농민군들은 국가유공자의 반열에 오를 '순국선열'에 해당된다고 볼 수 있다.

그 법에서 예우의 대상으로 삼는 '순국선열'이란 "일제의 국권침해 전후로부터 1945년 8월 14일까지 일제의 국권침탈에 반대하거나 독립운동을 하기 위하여 항거하다가 그 항거로 인하여 순국한 자"라고 규정되어 있다.**

---

*   한승헌, 〈동학혁명군의 명예회복〉, 《전북일보》, 2001년 8월 29일.
** 앞과 같음.

제 17 장
감사원장 시절

감사원, 독립적 지위 확보

  한국사회의 특장의 하나는 다이내믹이다. 식민지 · 분단 · 전쟁 ·
군사독재를 겪고도 1997년 12월 제15대 대통령선거에서 헌정사 최초
의 여야 수평적 정권교체를 이루었다. 1960년 8월 장면 정부가 수립
되었지만 4 · 19혁명의 산물이었다. 이 터전에서 1997년의 정권교체
는 그동안 학생 · 시민들의 치열한 민주화투쟁이 일궈낸 결실이다.

  한승헌은 두 차례의 투옥과 8년 동안 변호사직 박탈 등 심한 고난
을 겪었다. 40~50대가 온통 고난의 연대기였다. 그런 과정에서 신념을
굽히지 않았고 좌고우면하지 않으면서 시대적 소임에 열정을 바쳤다.

  6월항쟁 이후 정계(야권)에서는 그를 주목하여 영입을 시도하였
다. 그 사회에서 '별 두 개'는 민주투사로 대접받는 경력이다. 게다가

달변에 문장력까지 갖춰 상위급 영입인사로 꼽혔다. 서울이나 수도권의 노른자 지역구, 국회의 비례대표, 전북지사 등이 구체적으로 거론되었다. "전북지사보다 서울본사가 되겠다"는 위트로 이를 거절했다.

'옥고 동지'이기도 한 김대중이 대통령에 당선되면서부터 새 정부의 조각을 둘러싼 추측(예상) 기사에 그는 감사원장 내정자로 이름이 떠올랐다. 김 대통령과의 관계나 법조인으로서의 행적으로 보아 개연성이 따르는 기사였다.

1998년 3월 3일 청와대에서 감사원장 임명장을 받았다. 재조(검사)에서→재야(변호사)로→다시 황야(수감)로 그리고 다시 재조(감사원장)가 되었다. 기구한 회전이다.

김대중 정부는 독자적인 정권교체가 아니라 5·16군부세력의 일각인 김종필 세력과 합작품이었다. 이 때문에 대선에서 패배한 한나라당은 국무총리로 지명된 김종필에 대한 보복심리에서 임명동의를 해주지 않았다. 엉뚱하게 감사원장 한승헌과 한 묶음으로 서리의 꼬리를 달게 되었다.

그해 초여름, 정치인들이 모인 어느 자리에서 JP(김종필—필자)는 내 손을 잡으면서 "나 때문에 한 원장까지 아직도 서리를 못 떼고 있어서 미안합니다. 그런데 웬 서리가 오뉴월이 되었는데도 그대로 남아 있는지 모르겠어요."

이런 때 내가 듣기만 하고 있을 수는 없지 않은가.

"서리는 아무리 길어봤자 7~8월이면 녹아 없어지겠지요."*

실제로 8월 17일 국회는 두 사람의 임명동의안을 가결함으로써 7~8월 삼복을 다 넘기지 못하고 서리의 꼬리를 떼게 되었다.

최근 윤석열 정부의 감사원이 '정치적 의도'가 의심되는 몇 가지 사안으로 물의를 일으켰다. 어렵게 자리잡은 감사원의 위상이 크게 흔들리게 된 것이다. 서해 공무원피살 사건과 관련 돌연 문재인 전 대통령에 대한 서면조사를 시도한 것이다.

"감사원은 문재인정부 때의 서해사건 수사 결과를 뒤집는 해경 발표 바로 다음날인 6월 17일 전격적으로 감사 착수를 발표했다. 얼마 뒤인 7월 6일에는 국가정보원이 서해 사건과 북한어민 북송사건 등과 관련해 이례적으로 박지원·서훈 전 국정원장을 고발했다. 이런 흐름을 보면 전 정권을 겨냥한 '기획 사정'의 일환으로 감사원이 무리하게 감사를 밀어붙인 게 아니냐는 의문을 지우기 힘들다. 이밖에 전 정권 인사 찍어내기 용 '표적 감사'로 비판받아 온 국민권익위원회 특별감사도 감사위원회의 의결을 거치지 않은 것으로 드러났다."**

감사원은 대통령 소속이지만 직무에 관해서는 독립적 지위를 갖는 국가기관이다. 한승헌은 이 같은 원칙에 충실하였다.

---

*   《자서전》, 326쪽.
** 〈감사원 내부서도 '위법' 지적 나온 '서해사건' 감사〉,《한겨레》, 2022년 10월 4일.

"나는 취임 후 대통령께 첫 번째 업무보고를 하는 날, 감사인력의 부족에 관련된 말씀을 드렸다. 감사대상기관의 수나 업무량의 증가에 비하여 감사요원이 너무 모자라니 정부의 10% 감원기준은 적용치 않도록 해주십사 하는 건의를 드렸고, 이 건의는 그 자리에서 받아들여졌다. 그리고 감사위원도 정부가 바뀌면 몇 사람씩 내보내는 관례를 답습하지 말고 법의 임기를 존중하는 것이 옳다는 내 의견에도 찬동을 하셨다.

　이렇게 해서 감사원은 단 한 사람의 인원감축도 없이 공직사회의 찬바람을 비껴갈 수 있었다. 나는 수석 감사위원에게 '위원 여러분의 임기는 보장합니다. 이것은 대통령이나 원장이 유임시키는 것이 아니라 법에 의한 신분보장을 존중하는 것뿐입니다'라고 말했다."[*]

---

* 한승헌, 〈나의 감사원 시절〉, 《역사의 길목에서》, 425쪽.

감사원장 정년 연장시키고 자신은 퇴임

　김대중의 집권 그리고 한승헌의 감사원장 취임으로 공직사회는 잔뜩 긴장했다. 사정의 칼날이 언제 닥칠지 모른다는 불안감이 뒤덮였다. 감사원도 다르지 않았다. "감사원 안에서는 당시 이 정부의 개혁방향과 나의 재야성으로 미루어 과감한 수술이 있을 것으로 보고, 기대와 불안이 뒤섞여 있는 분위기였다."[*]

　앞에서 소개한 대로 임기가 법에 보장된 사람들을 아무 잘못이 없는데도, 오직 전 정권에서 임명되었다는 이유로 사표를 요구하거나 선별처리하는 일 없이 보장하면서 감사원은 활기가 넘치고 생산적인 일을 스스로 찾아 행하였다고 한다.

　"다른 부처와는 달리 신상에 대한 불안감이 없어지자, 직원들 간에 불우 어린이와 장애 어린이를 돕기 위한 성금 모으기 운동이 자발적으로 일어났다. 매달 봉급에서 얼마씩 떼서 계속 돕자는 그 운동에 원장인 나도 참여했다.(10년이 지난 지금까지도 그 성금 모으기는 이어져오고 있다.)"[**]

---

[*]　《자서전》, 324쪽.
[**]　앞의 책, 325쪽.

한승헌은 이 같은 분위기에서 외환 위기와 관련 특감에 주력하여 그 원인과 책임을 규명하는 데 진력했다. 몇 개월 동안 심층적인 감사를 하고, 보고서를 통해 정부 각 부처와 책임있는 공직자들에 대한 수사를 검찰에 의뢰했다.

취임하던 해 8월 28일이 개원 50주년이었다. 감사원 뒷마당에 유신시대의 한 상징이 남아 있었고, 오래 전부터 이를 바로잡아야 한다는 의견이 제기되었다.

"1998년 8월 28일 개원 50주년을 기하여 원훈과 원의 상징물을 새로 정했다. 감사원 뒷마당에 박정희 대통령의 친필 '공명정대(公明正大)'를 새긴 바위가 있는데, 그것이 원훈이라고 했다. 알고 보니, 원훈을 써준 것이 아니라, 써준 것을 원훈으로 삼았다는 이야기였다. 또 마패가 원의 상징이었는데, 그것도 시대의 변화에 맞지 않는 것 같아서 재검토를 지시했다. 그 결과 두 가지 다 공모를 하기로 했다.

원 내외에서 많은 응모작이 들어왔는데, 원훈 당선작은 '바른 감사, 바른 나라'로 결정되었다. 상징은 국민의 눈과 귀, 그리고 감사원의 각 첫 닿소리인 'ㄱㅅㅇ'과 사정의 사'司'자를 상징하는 도안으로 정했다. 원훈 당선작을 낸 분이 군수시절 운전기사 몫의 도시락까지 싸가지고 관내 순시를 다녔다는 청백리여서 더욱 화제가 되었다."*

감사원에는 한 가지 시급한 현안이 있었다. 원장의 정년을 당시

---

* 앞의 책, 326쪽.

65세에서 70세로 연장하는 일이었다. 다른 부처와 형평성에도 맞지 않은 것이다. 그런데 자칫 오해의 소지가 없지 않았다.

자신의 정년퇴임일이 임박하여(그는 1999년 중반 현재 65세) 이를 연장하려는 의도로 오해받을 소지가 있었기 때문이다. 그는 공적인 분야에서 둘째라면 서러워할 원칙론자에 속한다.

"나는 감사원법 개정법률안을 만들어 법 개정을 추진하는 한편, 신문·방송 등 언론을 통하여 정년연장의 당위성을 역설했다. 그때마다 나는 법이 개정되어도 종전의 정년규정대로 퇴임하겠다는 점을 분명히 밝혔다. 내가 추진한 정년연장으로 자신의 재임기간을 늘린다는 것은 생각할 수도 없는 일이었다. 그래서 개정안 부칙에다 정년연장 규정은 개정 당시의 감사원장에게는 적용하지 않는다는 명문을 박아 놓았다.

법안이 국무회의에 올라가기 전, 청와대에서 그 부칙을 삭제하고 다시 개정안을 올려달라는 요청이 왔다. 나는 사무총장으로 하여금 개정안을 원안대로 의결해 주기 바란다는 뜻을 전하고 청와대로 들어가 대통령께 부칙을 살려둘 필요성을 간곡히 말씀드려서 초지를 관철했다."*

그가 마련한 감사원장 정년을 연장하는 법률개정안이 국회에서 통과되고, 자신은 종전의 규정에 따라 1999년 9월 약속한 대로 정년

---

* 《역사의 길목에서》, 429쪽.

퇴임하였다. 1년 반 동안의 감사원장이었다.

그는 감사원의 독립성을 유지하고자 무진 애를 썼다.

"나는 만일의 경우에 대비한 시나리오를 준비하고 청와대를 드나들었다. 혹시 대통령께서 감사원의 직무상 독립에 어긋나는 말씀을 하신다면, 그때 어떻게 할 것인가를 몇 가지 '모범답안'으로 정리하여 머리에 입력해두었던 것이다. 그러나 내 재임 중 한 번도 그것을 써먹을 기회가 없었다. 대통령께서 감사원의 독립을 120% 존중해주셨고, 그만큼 나는 행복한 감사원장이었다. 심지어 IMF사태를 불러들인 환란 감사에 대해서조차 지시는 고사하고 유도성 암시조차 없었다. 모든 감사는 감사원의 독자적인 판단과 책임하에 이루어졌다."

노무현 탄핵 관련 변호인단으로

짧은 재조생활을 마치고 다시 재야의 '본령'으로 돌아왔다. 변호
사는 임기도, 정년도 없는 일종의 자유업이다. 지인의 추천으로 법무
법인 '광장'의 일원이 되었다. 강남 포스코 빌딩에 사무실이 있었다.
"어쩌다 보니 법조계의 원로 축에 끼게 되었다"면서 변호사의 일선
업무와는 거리를 두면서 활동하였다. 그의 〈연보〉에 나오는, 감사원장
퇴임 이후의 주요 활동상이다.

> 1999년   9월   감사원장 정년퇴임.
>
> 　　　　　 10월   청조근정훈장 서훈.
>
> 　　　　　　　　　우리말 살리는겨레모임(대표 이오덕)에서 '올해

의 우리말 으뜸 지킴이'로 뽑힘.

	11월	법무법인 '광장' 고문변호사 취임.
		연세대학교 법무대학원 초빙교수(저작권법).
	12월	제1회 인제인성대상 수상.
2000년	10월	《법이 있는 풍경》(일요신문사) 출간.
2001년	2월	전북대학교 발전후원회 회장.
	3월	LG칼텍스가스 사외이사.
		한국디지털위성방송(주) 고문.
	4월	정일형 이태영 자유민주상 수상.
	5월	3남 규훈의 조지아 주립대학 언론학박사 학위수 여식 참석.
	11월	한국인권문제연구소(재미) 인권상 수상.
	12월	청암 송건호선생 사회장 장례위원회 위원장.
2002년	4월	제3대 사회복지공동모금회 회장.
	4월	환경재단 고문.
	5월	《내 마음 속의 그들》(범우사) 출간.
2003년	3월	제2차 북한 방문.
	5월	《역사의 길목에서》(나남) 출간.
2004년	3월	SBS 시청자위원회 위원장.
		노무현대통령 탄핵소추사건 대리인단에 참여.
	4월	한국외국어대학교(학교법인 동원육영회) 이사장 취임.

	6월	《신민객담―한승헌변호사의 유머산책》(범우사) 출간.*
2007년	9월	《한승헌변호사의 유머기행》(범우사) 출간.
2012년	10월	《한승헌변호사의 유머수첩》(범우사) 출간.

변호사의 송무(사건 수임)를 전혀 하지 않고 있던 그가 다시 법조 현장에 복귀하게 된 사건이 발생했다. 김대중에 이어 노무현에게 대선에서 패배한 한나라당은 노무현 정부를 인정하려들지 않았다.

야권은 탄핵이란 핵폭탄을 꺼내들었다. 한나라당과 분당상태의 여권 일부 의원들이 탄핵안에 서명했다. 국회의원 159명은 3월 9일 탄핵안을 국회에 발의하고, 12일 오전 국회에서 경위권을 발동한 가운데 탄핵안을 처리했다.

탄핵 이유는 노 대통령이 기자회견을 통해 열린우리당 지지 발언을 하며 공무원의 선거중립을 규정한 공직선거법을 위반하였다는 것과 또한 재신임 국민투표를 제안한 것은 대통령의 국민투표의결권의 위헌적 행사에 해당되어 헌법수호 의무위반이라는 것이다. 국회에서 의결된 탄핵안은 헌법재판소로 넘어갔다.

국회는 탄핵안을 의결하고 지체없이 소추위원인 국회 법제사법위원회 위원장 김기춘을 통해 소추의결서의 정본을 헌법재판소에 제출하여 노무현에 대한 탄핵심판을 청구했다. 소추위원의 대리인에는 한

---

* 〈한승헌 연보〉,《자서전》, 412~113쪽.

나라당과 민주당 소속 의원 67명이 선임되었다. 한나라당 소속에는 강
재섭 · 홍준표 · 황우여 · 박희태 · 원희룡 · 정형곤 · 안상수 · 김용균 ·
최병국 의원 등이, 민주당 소속 의원은 박상천 · 이용삼 · 함승희 · 추
미애 의원 등이 포함되었다. 노무현 측은 다시 변호사를 개업한 문재
인이 중심이 되어 재야 법조인들을 소송 대리인으로 선임했다. 변호인
에는 유석현 · 한승헌 · 하경철 · 이용훈 · 이종왕 · 박시환 · 양삼승 ·
강보현 · 조대현 · 윤용섭 · 김덕현 · 문재인 등이 선임되었다.

"대통령은 내게 탄핵대리인단 구성을 비롯해 법적 대응 전반을
맡아달라고 부탁했다. 대리인단을 구성했다. 지금 생각해도 당시 우리
가 갖출 수 있는 최고의 진영이었다. 대리인들은 중립적이면서 명망
과 실력을 두루 갖춘 분들을 모시기로 했다. (…) 처음 모였을 때 회의
분위기는 자신감과 사명감으로 충만했다. 우리가 법적으로 제대로만
하면 반드시 이긴다고 확신했다. 다수당의 숫적 횡포일 뿐, 법적으로
는 말이 안 되는 탄핵이었다. 민의를 거스른 다수당의 쿠데타였다. 민
주 헌정의 위기였다. 그런 일을 바로잡지 못하면 우리 헌정의 앞날이
암울해질 것이었다."*

'탄핵정국'은 요동치고 있었다. 탄핵을 주도한 야당과 족벌신문,
원외 보수세력은 총궐기하다시피하여 헌법재판소를 압박했다. 반대
로 광화문에서는 연일 저녁이면 시민들의 촛불시위가 벌어졌다. 노무

---

* 문재인, 《문재인의 운명》, 295~296쪽.

현 측은 문재인이 동분서주하면서 구성한 변호인단을 중심으로 치열하게 변론을 준비했다.

탄핵결의안 '통과 절차' 흠결 지적

　노무현이 민주당 대통령후보가 되면서 수구 기득권층에서는 크게 불안해하는 분위기였다. 이것은 5년 전 여론조사에서 김대중이 이회창을 앞지를 때와도 비슷한 현상이었다. 여야 대선 후보가 보혁(保革) 구도로 가게 되고, 그가 당선될 경우 급격한 혁신정치를 하게 될 것이라는 불안감이었다. 노무현은 이에 대해 수긍할 수 없다는 입장이었다.

　수구보수 세력의 노무현 제거 공작은 그러나 성공하지 못했다. 5월 14일, 헌법재판소 재판관 윤영철(재판장), 재판관 김영일, 재판관 권성, 재판관 김효종, 재판관 김경일, 재판관 송인준, 재판관 주선희(주심), 재판관 전효숙, 재판관 이상경으로 구성된 재판부는 탄핵소추안을 기각했다. 위법행위가 전혀 없지는 않지만 대통령 탄핵을 정당화할 만큼 중대한 범법 행위는 없다는 논리였다.

　한승헌은 3월 중순 문재인 청와대 정무수석(뒤에 비서실장)으로부터 변론을 맡아 줄 것을 요청받고, 일선에서 물러났다는 이유를 들어 사양하다가 법조계 원로들이 참여해주면 도움이 되겠다는 말을 듣고 참여를 결심했다.

　"헌법재판소의 탄핵사건 심리에 대비하여 대통령 측은 12명의 변호사(유현석, 한승헌, 하경철, 이용훈, 이종왕, 박시환, 양삼승, 강보현, 조대현, 윤용섭, 김덕현, 문재인)로 대리인단을 구성하였다. 서초동 법원 청사 근처에 임시 사무실을 내고, 수시로 회의를 열어 대응책을 논의하고, 헌재에 낼 서면을 작성하였는데, 여기에는 노 대통령의 사법시험 동기생인 변호사들이 주축이 되어 노고를 다했다."*

5·16쿠데타로 집권한 박정희는 18년 집권 끝에 부하의 손에 암살당하고, 전두환과 노태우는 쿠데타로 집권하고 천문학적 비리를 자행했다가 퇴임 후에 구속되었다. 이와 같이 불행한 정치사를 지켜 보아온 노무현은 재임 중이나 퇴임 뒤에도 당당하고 떳떳하고 싶었다.

헌재의 대리인단 간사로서 실무적 역할과 함께 홍보 역할까지 맡았던 문재인은 당시 대리인단의 역할을 다음과 같이 증언한다.

"역할 분담을 했다. 유현석 변호사께서 좌장역할을 맡았다. 한승헌 변호사가 총괄을 자임했다. 나머지 분들은 논점별로 분야를 나눠 맡았다. 어떤 분야는 이용훈 변호사, 또 어떤 분야는 박시환 변호사 식으로 역할을 나눴다. 나눠 맡은 논점별로 연구도 발제도 서면도 직접 작성했다.

법정변론도 분담했다. 재판 때마다 발언할 대리인의 수와 순서, 발언할 내용, 돌발적인 상황에 대한 대응 등 세부적 부분까지 모두 논의해 재판에 임했다.

---

* 《자서전》, 349쪽.

민변에서도 가장 실력있고 꼼꼼하기로 발군의 평가를 받는다는 조용환, 백승헌 두 변호사는 대리인으로 나서지 않는 대신 법리적 연구와 실무적 뒷받침을 헌신적으로 해줬다. 두 분은 대리인답게 본격 가동되기 전 초기에, 탄핵재판제도에 대한 연구와 함께 우리쪽 법적 대응의 뼈대를 세워줬다. 김선수 변호사도 함께 도왔다. 그들은 민변 소속 변호사들이 대리인으로 전면에 나서는 게 바람직하지 않다는 생각으로 자신들을 드러내지 않았다."*

한승헌은 홈런을 날렸다.

"나는 탄핵결의안의 내용 이전에 그 '통과' 절차에 결정적 흠이 있다는 주장을 했다. 그날의 국회의사록에 의하면, 11시 22분에 박관용 의장이 〈개의를 선언합니다. 의사일정 제1항 대통령 탄핵소추안을 상정합니다. 조순형 의원이 나올 제안 설명은 유인물로 대체합니다. 무기명 투표를 실시합니다.〉 이 네 마디를 눈 깜짝할 사이에 끝냈다. 대통령을 파면해야 한다는 사상 초유의 탄핵결의안의 처리에 질의응답과 토론조차 전혀 없었다. 이것은 절차 상의 흠이 아니라 아예 '무절차'였다."**

---

* 문재인, 《문재인의 운명》, 296~297쪽.
** 《자서전》, 350쪽.

제 19 장

회갑문집에
보이는 초상

회갑문집《한 변호사의 초상》(1)

　그는 많은 글을 쓰고 책을 냈다. 장르도 시·수필·평론·인물론·변론집 등 다양하다. 이와 함께 남들이 그에 관해 쓴 책이 있다. 뒤에 소개하겠지만 미수(米壽)에 맞춰 나온 기념문집이 있고, 이보다 훨씬 앞서《한 변호사의 초상─한승헌선생회갑기념문집》(범우사)이 세간의 화제를 모았다.

　회갑인 1994년 11월에 나온 회갑문집은 각계의 지인들이 그린 그의 초상이다. 18년 뒤 '미수문집'이 간행된 시점으로 보면 한승헌 생애의 '중간평가'에 해당한다고 하겠다. 우리 사회에서 명사들의 회갑문집이나 칠순문집, 미수문집 등이 대부분 당사자를 치켜세우는 일종의 '주례사식 문집'을 벗기 어렵지만,《한 변호사의 초상》은 '전통적인 문집'과는 많이 다른 모습을 보인다.

우선 간행위원으로 박원순(변호사) · 박종화(목사) · 신인령(이화여대 교수) · 윤형두(범우사 대표) · 임헌영(문학평론가) · 장영달(국회의원) · 정동익(언론인) · 최종고(서울법대 교수) · 한명숙(한국여성단체연합 공동대표) 등 면면이 '주례사식'의 인물들이 아니라는 것이다.

문집은 유현석 선배 변호사의 〈신언서판으로 본 한승헌 변호사〉란 하서와 신영복의 〈새벽일꾼〉이란 휘호, 이철수와 정운경의 축화 등이 눈길을 끈다. 언론인 김중배의 〈내릴 수 없는 '재야정신'의 깃발〉, 신경림 시인의 〈해보다 더 붉은 빛으로〉의 축시에 이어 각계 인사 50인의 글이 실렸다. 여기에는 10여 명의 외국인도 포함되었다. 몇 분의 글을 골랐다. 출처는 《한 변호사의 초상》(범우사), 1994년 판이다.

김중배의 〈내릴 수 없는 '재야정신'의 깃발〉의 한 대목이다.

"생각건대 그것은 필경 그의 변호사다운 변호사로서의 치열한 '재야성' 또는 '재야정신'에 뿌리하는 것으로 헤아려진다. 물론 그의 재야성은, 그가 흔히 일컬어지는 재야법조인으로서, 그동안 재야인사들의 변론을 도맡다시피 해왔다는 전력만으로 풀이될 수는 없다. 말의 정확한 뜻에서 그것은 오히려 재야성의 타오름이 빚어낸 결과일 뿐이다.

전문적인 변호사의 소명이라고도 일컬어지는 재야성 또는 재야정신은, 독립불기(獨立不羈)의 예언자적 정신과 권력에 깃든 우상의 파괴와 이른바 '마술로부터의 해방' 그리고 변증법적 비판의 논리 등으로 열거된다. 조금은 성급할지도 모르나, 나는 이쯤에서 주저없이 말하고자 한다. 우리의 한승헌 변호사, 그야말로 그 재야성 또는 재야정신의 귀감이며 화신임을."

강원룡(크리스천아카데미 원장)의 〈크리스천아카데미 안팎의 인연〉의 한 대목이다.

"특히 5·16군사혁명 이래 참으로 격동기였던 30여 년 동안 만난 많은 사람 가운데 내 머리 속에 강한 인상을 심어준 몇 사람 중에 한 사람은 그가 틀림없다. 그러기에 그 많은 사건과 격랑 속에서 내가 받아온 한승헌의 강한 인상은, 우선 법률가인 그의 직업과도 관계가 되겠지만, 정의감이 투철하여 불의와는 전혀 타협하지 못하는 사람이라는 것이다. 그분만한 실력과 인물이라면 적당히 타협하고 살면 크게 출세했을 터이고, 본인이 피하고자 했다면 그 고된 시련들은 면할 수 있었을 것이다.

나와 관계된 일로는 그가 쓴 글이 이른바 간첩 김규남을 변호·찬양한 내용이라 하여 반공법에 걸려 옥고를 치르려던 때에 법정에서 그의 증인을 섰던 것이 기억난다. 그 글은 문학적 작품이었는데, 군사독재 정권이 그를 매장시키기 위해 덮어씌운 사건이었다고 기억된다. 연약한 그의 몸이 밧줄에 묶여 피고석에 앉은 모습을 증인석에서 보면서, 억압정권의 횡포에 대한 분노와 함께 적당히 양보하고 눈 감고 살면 저런 일들은 안 겪을 수 있을 텐데 하는 생각도 했다."

강희남(목사)의 〈우리 민중운동사의 금자탑〉의 한 대목이다.

"선생은 그 걸음걸이에서 보는 이로 하여금 바람 부는 날 갈대를
연상케 하리만큼 휘청거린다. 그는 하나의 갈대이다. 갈대도 갈새가
벗하여 울어주는 강기슭에 난 것이 아니고 '산정(山頂)의 갈대'다. 그
는 외로운 갈대다. 그러나 그는 전형적으로 '생각하는 갈대'다. 사람의
지혜는 다혈질적인 체구에서라기보다는 갈대에서 나오는 것이 아닌
가 생각되기도 한다.

그래서 그는 분명 머리의 사람이다. 로고스(Logos)의 사람이다. 그
렇지만 그는 차가운 머리의 사람만은 결코 아니다. 그는 가슴의 사람
이다. 그는 페이소스(Pathos)의 사람이다. 이것은 그가 가난한 민중들
에게 쏟아부어주던 그 열정이 증명한다. 인권변호사하면 다 알 만한
일이다. 그러기에 그는 현재 영양실조에 걸려 있다."

회갑문집 《한 변호사의 초상》(2)

김금지(연극인)의 〈이 시대의 마지막 의인〉의 한 대목이다.

"더욱 놀라운 것은 그때 야당 전국구(그러니까 돈 내는 전국구가 아니라 재야인사 모셔오는 전국구)로 거론되셨는데도 딱 잘라 거절하시는 게 아닌가? 자격미달이면서도 어떻게든 금배지 달려고 아우성들을 치는 판에, 당에서 정말 필요하여 모셔가겠다는데도 거절하는 그 용기에 얼마나 신선한 충격을 받았는지…… 그 당시에는 한승헌 변호사 같은 분이 현실정치에 참여해서 소금 역할을 해주셨으면 했는데, 지금 와서 보니 정말 현명하신 분이구나 하는 생각이 든다."

이세종(변호사, 대한변호사협회 회장)의 〈그의 불굴의 정의감〉의 한 대목이다.

"그는 비록 경제적으로 넉넉하지 못한 환경에서 어려운 생활을 유지하면서도 부정한 유혹에 결코 휩쓸리지 않는 꼿꼿한 자세를 지녀 왔다. 그는 한사코 부정과 불의에 타협하거나 이를 모른 척하기를 거부하였다. 그 무렵에도 현실과 적당히 타협하는 동료 검사들은 생활의 어려움을 겪지 않고 지냈으나 그는 항상 어려운 생활에서 벗어나지 못하였던 것도 바로 대쪽 같은 그의 성격 탓이라고 본다. 때문에 그는 청빈한 검사 생활을 오랫동안 지속하기가 벅차 스스로 검사직을 사직하고 남보다 일찍 변호사 개업을 한 것이다".

최일남(소설가)의 〈법과 서정(抒情)의 사이〉의 한 대목이다.

"꺼무스름한 얼굴 위의 두 눈은 노상 웃음기를 머금고 있다. 입에서는 만나는 사람의 가슴을 더불어 열어주는 푸근한 해학이 뛰어난 유머 감각과 함께 순발력 있게 튀어나와 친화력을 보탠다. 눈앞의 누군가가 성에 안 차는 사람일 때, 농담에 가시를 싸서 던지는 촌철살인의 멋 또한 그의 것이다.

한승헌의 한승헌다움을 바로 이 점에서 발견한다. 인권변호사이면서 시인인 한승헌, 시인이면서 수필가인 한승헌은, 법리(法理)를 매섭게 따지되 그 속에 모듬살이의 순수한 서정성을 담기 때문에 그의 변론은 마침내 인간적이다. 남들이 갖추기 힘든 조건을 체질적으로 갖추었다고 할 수 있다. 무주 구천동이 그리 멀지 않은 전라도 첩첩산중의 작은 마을에서 태어나, 1975년에서 80년 봄 사이에 두 번 옥살이를 한 그는 필경 법이 무엇을 위해 있어야 하는가를 양날의 논리로 더욱 키웠을까. 한승헌의 부지런한 저작 활동을 통해 보면 그런 흔적이 두드러진다."

중국의 다이웬바오(戴文保, 인민출판사 특급편집인)의 〈세 번의 국제출판학술모임〉의 한 대목이다.

"우리가 만나고 왕래가 많아진 이후에야 비로소 나는 그를 자세히 관찰하게 되었다. 그의 손에는 아무런 방망이도 없었으며, 그의 마음속에는 근본적으로 예리한 검 같은 것은 들어 있지 않았다. 서울에서, 베이징에서, 회의장에서, 식당에서, 만날 때마다 그는 온화하고 친절한 모습이었다. 때로는 웃음만 띄우고 말이 없었으며, 때로는 이론이 풍성하였다.

특히 함께 술자리에 있을 때에 오가는 정담 중에서 마치 하늘에서 떨어지는 것 같은 그의 해학이 사람을 놀라게 하고 좌중을 기쁘게 한다. 그의 언변은 종횡무진하며 그의 말솜씨는 주옥과 같으며 유머가 무궁무진하여서 종종 사람을 웃겨 입을 다물 기회를 주지 않는다. 아, 알고 보니 그의 언변이 곧 방망이였으며, 지혜가 곧 그의 날카로운 검이었던 것이다."

일본의 고토 후미오(後藤文夫, 교도통신사 서울지국장)의 〈재일한국인 정치범을 위한 변호〉의 한 대목이다.

"지문 날인제의 철폐가 국익이라고 호소하는 변호사 한승헌 씨.

지금 날인의 강요는 외국인은 물론 일본에게도 아무런 이익도 실효도 없다. 일본정부가 지문날인 제도를 계속하려는 것은 이해할 수 없는 일이다.

재일 한국인·조선인의 인권과 지문날인 문제를 놓고 이야기를 나누는 기독교협의회의 일한(日韓) 합동심포지엄에 참가하기 위하여 이번에 일본을 내방, 때마침 가와사키(川崎)시의 재일한국인 보육원 주사가 지문날인을 거부한 용의로 체포된 데 이어 '엿과 채찍'의 법무성 통달이 나오는 등 '인지 손가락의 인권'이 갑자기 클로즈업되고 있다.

〈선진국 일본으로서도 불명예이다. 외국인의 '손가락끝 문제'로 자국민으로부터 '손가락질 받지' 않도록 하기 바란다〉라고 농담을 섞으면서 지문날인제의 철폐가 일본의 국익에 부합한다고 호소한다.

성실한 인품 그대로의 부드러운 말씨, 안경 저쪽의 눈망울이 이따금 청년처럼 반짝인다."

제 20 장
사법제도 개혁에 나서다

사법제도개혁추진위원장 맡아

우리의 사법부는 여러 차례 정권이 바뀌고 후진→ 개발도상→ 중진→ 선진국으로 나라의 위상이 바뀌어도 여전히 구태를 면치 못하는 상태이다. '유전무죄 무전유죄'라는 고전레토릭에서 '유검무죄 무검유죄'의 변이성에 이르기까지 지속적이다. 하여 국민은 검찰과 함께 사법부를 믿지 않게 되었다. 1980년대 한승헌의 사법인식이다.

"이 땅의 사법은 사법(司法) 아닌 '사법(死法)'의 역할을 뿌리치지 못했기에 정의와 인권은 오히려 사법에 의해서 박제당하고 있었던 것이 우리의 현실이었다. 특히 시국사건의 재판을 통해서 법원의 체통은 일그러질 대로 일그러졌으며 부끄럽고 슬픈 얼룩을 주체할 수가 없었다. 법관을 불신하고 매도하는 일도 만성화되어 으레 판사들은 그런 것이려니 하고 체념하기도 했다."*

흔히 민주주의의 최후 보루라 일컫는 사법부, 여러 차례 개혁이 추진되었으나 크게 바뀌지 않았다. 노무현 정부도 사법제도개혁추진위원회(사개추위)를 만들어 사법개혁에 나섰다. 그리고 사개추위 위원장을 한승헌에게 맡겼다.

청와대로부터 사개추위 위원장 제안을 받고 사양 끝에 결국 수락한 것은 누구보다 사법개혁의 당위성이 절실했기 때문이다.

"사법개혁은 이미 1993년 김영삼 정부 때부터 시작되었으나 논의만 계속되었을 뿐 이렇다 할 매듭을 짓지 못한 채 정권이 바뀌곤 했다. 그러던 것을 노무현 정부 들어 대법원의 사법개혁위원회에서 2년 동안 논의한 성과를 사개추위가 이어받아 2005년 정초부터 마무리 작업에 들어가게 되었던 것이다. 역전경주 최종 구간의 주자인 셈이었다."**

사개추위가 선정한 개혁과제는 다음과 같다.

1)국선변호의 전면 확대 2)범죄피해자의 보호 3)재정신청 전면 확대 4)

---

* 한승헌, 〈법관 성명 이후〉, 《대한변호사협회보》, 1988년 7월.
** 《자서전》, 358쪽.

국민의 형사재판참여제도 실시 5)법학전문대학원 도입 6)군 사법제도 개혁 7)공판중심주의적 법정 심리절차 확립 8)고등법원 상고부 설치 9)법조윤리 확립 10)인신구속 및 압수 · 수색 · 검증제도 개선 11)경죄사건 신속처리 12) 양형제도 개선 13)법무담당관제도 개선 14)재판기록 공개 15)국민소송제도 도입 16)징벌적 배상제도 도입 17) 기업 내 변호사제도 도입 18) 하급심의 강화 19)노동분쟁 해결제도 개선 20)법률구조 제도 개선 21) 재판 외 분쟁해결제도(ADR)활성화 22)집단소송제도 도입.

사개추위의 의결기구인 위원회의 구성은 국무총리를 공동위원장으로 교육 · 법무 · 국방 · 행정자치 · 노동 · 기획예산처 장관, 사법부에서는 법원행정처장이 당연직 위원이다. 민간인은 공동위원장인 한승헌을 비롯 김금수(노사정위원장), 박재승(대한변호사협회회장), 송상현(서울대 교수), 장명수(한국일보 이사), 신인령(전 이화대총장), 박삼구(금호아시아나 회장), 채이식(고려대 교수), 김효신(경북대 교수) 등이 위원으로 위촉되었다.

실무위원회는 국무조정실장을 위원장으로 법원 · 검찰 · 변호사회 · 학계 전문가와 행정지원으로 구성되는 기획추진단이 위원회의 활동을 보좌하였다.

반개혁 세력의 두터운 층위

사개추위의 책임을 맡은 한승헌은 나라에 대한 마지막 헌신의 기회라 여기면서 규정상으로는 비상근직인데도 거의 매일 출근하다시피 하면서 일하였다. 국민과 언론의 관심도 많아서 이번 기회에 사법의 낡은 고질을 끊어내고 새 시대에 걸맞는 사법체계를 만들고자 하였다. 로스쿨 법안 등 현안도 많았다. 하지만 반개혁의 벽은 너무 두텁고 층위는 높았다. 일제강점기 이래 누려온 기득권 세력의 저항도 만만치 않았다.

"위원회가 의결한 25개의 개정(또는 제정) 대상 법률안은 국무회의를 거쳐 2005년 5월부터 2006년 7월 사이에 정부안으로 국회에 제출되었다.

그런데 법안이 국회로 넘어간 다음부터가 문제였다. 여야 간의 어수선한 정쟁에 휘둘려 사법개혁법안의 심의가 외면당하거나 지지부진했다. 사개추위의 활동 시한인 2006년 연말이 다가오는데도 국회에서 통과된 법률은 8개에 불과했다. 나머지는 상임위원회에 걸려 있거나 아예 상정도 되지 않은 채 방치되어 있었다.

그중에서도 사법개혁의 핵심 법안은 눈 흘김의 대상이 된 채 소박을 맞고 있었다. 한나라당은 이를 사립학교법 개정과 연계시키며 '태업'을 계속했고, 사개추위 안을 뒤집으려는 '공작'도 난무했는가

하면, 직함이나 지역 사정에 얽매이는 의원들의 고충도 여기에 작용했다. 뿐만 아니라 노무현 정권에 대한 야당의 본능적 거부감도 '개혁 저지'의 심리적 요인으로 꼽혔다."*

한승헌은 성격상 내키지 않았으나 국회를 찾았다. 의장단과 로스쿨 법안을 다루는 교육위원회 위원장 등 관계자들을 만나 개정법률안의 중요성과 시급성을 설명했다.

면전에서는 호의적이었지만 돌아서면 딴 얼굴의 선량이 너무 많았다. 지난날 그가 여의도행 티켓을 한사코 마다했던, 그 행태를 새삼 지켜보는 듯했다. 소득이 전혀 없었던 것은 아니다. 2007년 4월 국민의 형사재판 참여를 주된 내용으로 하는 형사소송법 개정안이 국회를 통과하고, 7월 3일에는 로스쿨 법이 국회를 통과하였다.

"로스쿨 법은 인가학교 수와 입학 정원문제로 논란이 많았지만, 법 서행과정에서 큰 변고 없이 진척되어 2009년 3월에 문을 열었다. 물론 문제점이 남아 있으나, 로스쿨 제도가 현행 사법시험제도의 폐단을 극복하고 새로운 법조인 양성기관으로 발전하기를 바랄 뿐이다. 국민참여 재판도 아직은 생소하지만 '국민에 의한 사법'으로 발돋움하는 민주적 사법시스템으로 정착되어 가고 있다.

역사적인 사법개혁에 일조를 한 것은 나로서는 매우 큰 보람이

---

* 《자서전》, 363~364쪽.

었다.[*]

한승헌은 2001년 3월 15일 사법연수원 특강에서 예비법조인들에게 〈이 땅의 법조인이 가야할 길〉을 강조했다. 젊은 시절 한 선배로부터 "변호사는 면기난부(面飢難富)라는 말을 들었다. 굶지는 않을 터이니 부자될 생각은 하지말라"는 말을 소개하면서 덧붙였다.

"8 · 15해방 후 이 나라의 법조계는 인적 구성 면에서는 일제 치하의 연장이었다. 일제의 관리로서 우리 애국자를 포함한 동족을 기소하고 재판하던 판 · 검사들이 해방된 내 나라의 법정 안팎에서 여전히 요직을 차지하고 행사했다.

다시 말해서 퇴출과 심판의 대상들이 오히려 심판관석에 군림했다. 해방 당시의 법원, 검찰의 일반직들이 약식시험을 거쳐 판 · 검사가 되었으나 그것은 그들 개인에게 있어서는 행운의 신분상승이었을지는 몰라도 해방 조국의 민주주의 건설과 인권창달에 이바지하겠다는 열의가 얼마나 있었는지는 의문이다. 이처럼 우리 법조는 민족정기 면에서 볼 때 정통성이 결여된 채 민망한 역사를 열어나갔다".[**]

* 앞의 책, 365쪽.
** 《역사의 길목에서》, 312쪽.

제 21 장
더 넓은
광장을 향하여

변론사건 67건의 실록 7권에 담아

짧은 재조와 사개추위의 활동을 마치고 본가인 재야로 귀환한 그에게 할일은 여전히 많았다. 감사원의 정치적 독립과 중립성을 확고히 다지고, 원장의 정년 임기가 연장되었음에도 미련없이 훌훌 털고 나오면서, 그리고 사개추위에서의 역량이 드러나면서 사회적 평가가 뒤따랐다. 한국에서 고위직을 떠난 후 '인기'가 높아진 경우는 흔치 않은 일이다.

그의 나이 70고개를 넘어섰다. 다행히 건강은 탈이 없었다. 바쁘게 살다보니 병이 들래야 들 틈이 없었을 것이다. 그는 뒷날《자서전》에서 1992년 봄에 위암수술을 받았다고 밝혔다. '대외비'로 한 것은 여러 사람에게 문병인사 등 번거로움을 주지 않으려는 뜻이었다. 다행히 초기라서 수술을 받고 경과도 좋아서 보름 만에 퇴원하였다.

이 '사건' 말고 체중은 젊어서부터 줄곧 55킬로그램을 유지해왔
다.

"내 몸의 허점을 아는 듯 겨울엔 가끔 감기란 놈이 찾아오는데,
어쩌다 오래 가는 수도 있다. 이럴 때, 자네 감기 아직도 안 나갔느냐
고 친구가 물으면, '내 감기는 주한미군이네. 한번 들어오더니, 나갈
줄을 몰라. 이런 대답으로 웃고 나면 감기도 따라 웃다가 나가버리곤
한다.'"*

2006년 11월에 《한승헌변호사 변론사건 실록》(전7권)이 범우사에
서 간행되었다. 이를 그는 자신의 '숙원사업'이라 했다. 100건이 넘는
시국사건 중에 67건의 실록을 일곱 권의 책에 담았다.

한승헌변호사변론사건실록간행위원회(위원장 박원순 변호사)가 준
비하고, 범우사가 '창사 40주년 기념출판'한 《한승헌변호사 변론사건
실록①~⑦》은 권당 500쪽이 넘는 방대한 기록이다.

개인 한승헌의 문집이라기보다 1967~2005년 한국인권운동사, 한
국사법사, 한국정치사의 자료이고 증언록이다. 박원순 간행위원장은
〈세월은 가도 역사는 남는다〉는 간행사에서 "이제 후세를 향해 외쳤던
한 변호사의 변론이 다시 우리와 다음의 세대를 향해, 이 실록을 통하
여 더욱 가슴에 남고 그 시대의 정의를 세우는 데 큰 역할을 하리라는
점에서 큰 의미를 찾는다. 한 변호사 — 그는 당시의 법정에서는 연전
연패했지만 역사의 법정에서는 승리자로 남을 것이다"라고 평한다.

---

* 《자서전》, 375쪽.

역사학자 강만길 교수는 축사 〈변론사건 실록, 감사합니다〉에서 "올바른 우리 현대사의 서술을 위해 귀중한 사료를 잘 간수했다가 세상에 내어놓는 한승헌 변호사의 꾸준한 노력과 높은 지성과 투철한 역사의식을 높이 사면서 다시 한 번 감사해 마지 않습니다"라고 치하했다.

한승헌은 머리말 〈변호사의 또 다른 책무로서〉를 통해 간행의 의미를 밝힌다.

"나는 이 실록물을 통하여, 이 나라의 험난했던 역사 속에서, 특히 분단과 독재의 칼바람 속에서 권력의 핍박을 받고 감방에 갇히거나 심지어는 형장의 이슬로 사라진 사람들의 고난을 사건기록을 중심으로 역사에 입력해두고자 했다. 뿐만 아니라 이 실록이 지난 한 시대의 아픔과 권력의 무도함 그리고 그런 불행으로부터 주권자와 민주주의를 지켜주었어야 할 사법부의 실체를 구체적으로 점검해보는 임상(臨床)보고서가 되었으면 한다.

이 《…실록》을 준비하면서 법정과 구치소(또는 교도소)에서 서로 뜻을 같이 했던 많은 분들의 삶을 다시 생각하게 되었다. 변호인의 쓸모는 과연 무엇인가라는 자문도 잊지 않았다. 많은 시국사범들이 무죄임을 확신하면서 동시에 유죄판결이 나오리라는 점도 확신해야 했던 지난 날의 기막힌 사법현실 속에서 나의 변호는 어떤 의미가 있었을까? 나의 변호는 그들에게 무슨 효용이 얼마나 있었을까? 그들에게 얼마쯤의 위로와 격려라도 되었을까?

벌거벗은 권력의 독기와 맞서거나, 아니면 그 앞에서 기죽기 쉬운 '피고인'들에게 힘을 실어주고, 격려를 보내고 그리고 법정 안팎의 진실을 목격한 사람으로서 시간과 공간의 벽을 뛰어넘는 '진실의 전달자'가 되자고 나는 다짐했다. 이 실록의 간행은 내 그런 다짐의 작은 실천이라고 말할 수 있다."

유머라는 정서적 동반자

　유신에서 5공으로 이어지는 현대판 무인정권 시절 한국의 뜻있는 지식인들은 깊은 고뇌에 빠졌다. 배운 학식과 가르침의 지식대로 행동하기 어려운 시공이었기 때문이다. 고려 무인정권기나 일제식민지 시기에도 참여파 지식인들이 있었듯이, 20세기 한국 무인정권에도 숱한 지식인들이 민주주의를 짓밟고 국민을 살상하는 공작에 지식을 제공하였다.

　한때 정의와 인권을 내걸고 진보의 대열에 섰던 법조인들 중에도 훼절자가 적지 않았다. 징발되기도 하고 자원하기도 하면서 권력기관이나 여의도행 티켓을 거머쥐었다. 그런 인물일수록 옛 진영과 동지들을 향해 사납게 짖는 경우를 보게 된다.

　한승헌은 신념을 지켜왔다. 짧은 양지를 빼면 대부분 재야와 황야의 길이었다. 쿠데타와 거듭된 정변으로 지식인 사회에 지조라는 고전적인 가치관이 사라진 지 오래라고는 하지만 훼절은 여전히 미덕이 될 수 없다. 한승헌이 재야의 성곽을 지킬 수 있었던 동력은 무엇일까.

　"생각해보면 나는 웃을 만한 일이 별로 없는 환경 속에서 살아왔다. 가난, 전쟁, 고학, 반독재, 감옥, 그 어디에 웃을 일이 있었는가. 이른바 '관직'도 관직 나름이어서, 내가 맡은 감사원이나 검찰 등의 공직은 하나같이 법규범과 엄격성의 틀에 얽매이는 자리였기 때문에 웃음과는 거리가 멀었다. 변호사는 남의 불행을 떠맡아서 해결해주어야 하니, 더 말할 것도 없다.

이처럼 공사 간의 생활이 '웃음친화적'이 아닌데도 나에게 얼마쯤 유머기질이 있는 것은 하나의 축복이기도 하다. 음지와 양지의 극한지대에서 숨이 아주 막히거나 좌절하지 않고 살아온 데는 유머라는 정서적 동반자의 '백업'이 주효했다."*

춥고 습한 음지에서, 그리고 살벌한 황야에서 기죽지 않고 자기 진지를 지키며 시대의 파수병으로 꿋꿋하게 버틸 수 있었던 것은 '유머라는 정서적 동반자'가 있었기 때문이다. 그는 어두웠던 시절 70년대부터 《유머산책》,《유머기행》,《유머수첩》 등 3권에 묶이는 유머에 관한 글쓰기를 계속하였다.

유머를 소재로 월간 《다리》와 《책과인생》에 수년에 걸쳐 연재하는 동안 시중의 화제가 되었다. 그리고 일본에서 번역되어 상당한 분량이 판매되었다.

"그의 기지로 넘쳐나는 화술은 상대방을 항상 즐겁게 해주는 것이다. 그는 감옥에서나 그 어디서나 웃음을 지켜왔고, 그를 만나는 사람에게 웃음을 베풀어주고 있다. 그의 재치있는 언변은 누구도 흉내 낼 수 없게 사람들을 행복하게 만드는 것이다.

—고은, 시인.

* 《자서전》, 377쪽.

한승헌의 유머수필은 가장 비극적인 상황, 암담한 시대적인 고통 앞에서 그 종말을 고하려는 '희극적인 양식'의 하나로써 등장한 것이다. 그의 웃음은 한국적 정치현실과 권위주의에 대한 경쾌하고 통쾌한 반란의 소산이다.

—임헌영, 문학평론가.

그의 유머와 위트는 권위의 시대에 더욱 빛을 발했다. 군사독재의 절망 속에서 그의 유머와 위트는 사람들에게 진실과 희망을 안겨주는 것이었다. 아마도 한국 최고의 위트가(家)라 해도 과언이 아닐 것이다.

—박원순, 변호사[*]

그는 2022년 세상을 떠나기 전에 이승에서의 마지막 사업으로, 앞서 소개한 3권의 유머집을 한 권으로 묶어내는 작업을 하였다. 간행사까지 집필하였으나 끝내 출간을 보지 못한 채 눈을 감았다. 그만큼 유머는 그의 생애를 관통하는 핵심 요소의 하나가 되었다.

그의 사후 《한승헌 변호사의 유머》가 이지출판에서 간행되었다. 일종의 유고집이라고 할 수 있지만, 유머종합편 또는 압축판이라 해도 무방할 것이다.

근래 많은 분들이 "세 권을 한 권으로 묶어 내면 좋겠다"는 요청을 해 와, 고민 끝에 세 권 중에서 세월이 흘러도 현장감이 살아 있는

---

[*] 《한승헌 변호사의 유머기행》, 뒤표지, 범우사, 2010년, 초판 6쇄.

글과 나 자신의 체험에서 나온 이야기들, 그리고 메마른 세상 고달픈 삶에 잠깐이나마 웃음을 전할 수 있는 국내의 유머들을 한 권으로 엮어 세상에 내놓게 되었다.*

---

* 《한승헌 변호사의 유머》, 7쪽, 이지출판, 2022.

유머 대가의 책에서 뽑은 유머

3권의 유머집과 죽음에 이르러 '정선본'까지 준비한 유머의 대가로 꼽히는 그의 다양한 유머를 몇 편 고르기는 쉽지 않다. 그럼에도 불구하고 임의적으로 뽑은 것이다.

신년 덕담 삼아 나이 들고 수척해진 나를 보고 이렇게 말한다.

"변호사님(혹은 아직도 '원장님') 같은 분이 장수하십니다. 장수."

이런 덕담에 고맙다고 답례 한마디 할 때도 있지만, 더러는 신종 답변을 한다.

"나는 장수가 아니라 그 옆의 진안(사람)입니다. 진안."

레이건 대통령의 유머도 정평이 나 있었다. 그가 백악관 근처에서 괴한으로부터 권총 사격을 받고 황급히 입원을 했다. 다행히 의식은 있었다. 수술대 주위를 주치의, 의사단, 간호사 등이 둘러싸고 있었다. 그 우환 중에도 여러 명의 아름다운 간호사들을 향하여 윙크를 한 레이건은 한마디를 날렸다. "Does Nancy Know This?(우리 집사람이 내가 이런 미인들에게 둘러싸여 있는 것을 알고 있는가?)"라고.

러시아의 한 갑부가 은행에 나타났다.

"저에게 100달러만 융자해주시면 고맙겠습니다. 그런데 저는 이

은행과 아무런 거래가 없는 사람이니 10만 달러 상당의 내 벤츠차를 담보로 내놓겠습니다."

그 자리에서 융자는 이루어졌다. 1년 후 그 갑부는 다시 이 은행에 나타나서 원금 100달러에다 이자 5달러를 합쳐 105달러를 갚았다.

은행원이 뭔가 궁금하다는 듯이 물었다.

"한 가지 여쭈어 봐도 되겠습니까?" "예. 그러시지요." "불과 100달러 융자를 위해서 왜 이렇게 고액의 담보를 제공하셨습니까?" 이 질문에 대한 그 부자의 대답은 이러했다.

"비싸다고요? 정반대입니다. 1년 동안 불과 5달러에 경비까지 붙은 주차장에 차를 세워둘 수가 있었으니 얼마나 쌉니까?"

비좁은 나룻배에서 한 농부가 임신 7개월 된 귀부인의 발을 밟았다. 성난 귀부인으로부터 호되게 얻어맞았다. 너무 힘들여 때리던 그 부인은 바닥에 넘어져서 유산을 하고 말았다. 그 여자의 남편은 농부를 관청으로 끌고가서 판결을 내려달라고 했다. 현감의 판결은 이러했다.

"너는 그 여인을 집으로 데려다가 먹이고 입히고 재운 뒤 그녀가 또다시 임신 7개월이 된 다음 저 남편한테 데려다 주도록 하라!"

그 말을 들은 부자는 아내를 데리고 황급히 사라졌다.

원님에게 두 남자가 찾아와서 금덩이를 놓고 서로 자기 것이라며 시비를 가려달라고 한다. 그러나 원님은 이 금이 딱 누구의 것이라고 판단할 만한 충분한 증거가 없으니 절반씩 나누어 갖도록 하라고 판결을 하면서 "내가 판결해 준 값으로 너희들 집에 가서 식사대접을 받고 싶다"고 했다.

그 중 한 사람의 집에서는 보리밥에 된장만 내놓았다. 반면 또 한 사람의 집에서는 닭을 잡고 술을 받아다가 성찬으로 대접했다. 이튿날 원님은 두 사람을 다시 불러놓고 그중 성찬으로 원님 대접을 한 사람에게 호통을 치면서 차지한 절반의 금을 돌려주라고 엄명했다. 진짜 금덩이 주인은 분통이 터져서 원님을 홀대했는데, 원님이 이것을 제대로 알아차린 터였다.

아테네에서 땅을 파보았더니 철사 토막이 하나 나왔다. 그러자 그리스 사람이 자랑스럽게 말했다.

"고대 그리스 시대에 이미 전화가 개통되었다는 증거다."

로마에 가서 땅을 파보았으나 아무것도 나오지 않았다. 그러면 기가 죽어서 할 말이 없어야 할 이태리 사람이 호기에 넘치는 어조로 외쳤다.

"이것 보시오. 여기에 철사가 보이지 않는다는 것은 로마 시대에 이미 무선전화가 있었다는 증거가 아니고 무엇이겠소?"

시민사회의 힘을 보여줘야

변호사 일선에서 한발 물러난 그는 사회원로의 위상에서 비중있는 발언을 하였다. 언론이 원로 대접을 하면서 지면을 할애하고 그의 발언을 듣고자 하였다. 여기서는 많은 대사회 발언 중 3편을 골랐다.

《한국일보》는 2012년 10월 〈서화숙의 만남 코너〉 "한승헌 전 감사원장 인터뷰" 기사를 한 면에 실었다. "집권자의 양심·의지가 있어야 검찰개혁 가능… 그런 사람이 대통령 되어야"란 긴 제목 아래 그의 근황과 함께 이명박 정부의 타락상에 대한 비판 발언을 실었다.

제18대 대선을 앞두고 이명박과 검찰의 타락상이 극도에 이르고 있던 시점이다. 전반부 '근황'은 건너뛰고 후반부를 소개한다.

"민간인 사찰도 'VIP(대통령)'에게 보고를 했다. 내곡동 집을 사는 돈을 대통령 아들은 큰아버지한테 받았다. 그런데도 대통령이 관여했는지로 수사가 나아가지 않아요."

　"법정에 가서 유죄가 될 만큼 증거를 확보하려면 소환조사도 하고 증거압수도 해야 되는데 검찰수사에 아직도 성역이라는 게 있어서 엉거주춤한 상태로 사건을 덮으니까 그렇지요. 이러면 검찰을 통한 부정의 척결이나 정의실현은 도저히 될 수가 없어요. 총리실 민간인 사찰은 대통령 입에서 내가 보고받았다 그런 말만 없다 뿐이지 모든 문서상에 VIP표시가 있잖아요. 문제가 있다면 대통령이 기자회견을 하거나 정례 라디오 방송에서 해명을 해야 할 텐데 입을 다물고 그냥 넘어가잖아요. 과거에 BBK사건도 그렇고 내곡동 문제도 대통령이 피의자가 될지도 모르는 사안인데 입을 다물고 있잖아요. 그래서 내곡동 수사 특검은 어쩌면 종래와는 다르게 성과를 거두지 않겠냐 이런 생각도 듭니다.

　대통령 아들이 큰아버지한테 6억을 빌려오는데 모두 현찰로 해서 큰 가방에 담아가지고 왔다. 60만원만 보내도 계좌이체를 하는 시대에 그걸 검찰이 따져 묻기 전에 대통령이 몰랐으면 아들 불러다가 따지고 해명을 하든지 잘못했다고 하면 되는데 불리하면 침묵하고 검찰은 알아서 수사를 멈추고 이런 일이 반복되면 잘못과는 별개로 대통령의 도덕성이나 윤리수준을 낮춰보고 폄하를 안 할 수 없게 되겠지요."

"김영삼 정부 때에 이미 대통령 아들을 수사하고 감옥에까지 넣었는데 20여 년이 흐른 지금 수사조차 못 한다는 것은 검찰이 퇴보하고 있는 것 아닙니까. 과연 개혁이 가능할까요?"

"역사를 보면 권력 잡은 사람의 자기성찰과 자기혁신의 의지로 문제가 바로잡힌 경우가 별로 없어요 개헌만 보더라도 국민이 크게 궐기하고 힘을 보여줘서 됐을 때 좋았습니다. 4·19후 개헌, 87년 6월항쟁 후의 개헌이 좋은 예입니다. 87년 헌법이 4반세기 이상 개정되지 않고 실행되고 있잖아요. 당시 6월항쟁에 의해서 분출된 국민의 여론이나 희망이 거기 응축되었기 때문이거든요. 그렇듯이 사법부와 행정부, 입법부의 체질도 국민이 감시하고 압박해서 국민의 뜻을 거역할 수 없는 구조를 만드는 게 중요하다고 생각해요.

그런 점에서 이번 대선을 앞두고는 누구에게 권력이 가느냐 하는 권력이동만 볼게 아니라 국민 여러 계층의 의사와 힘이 골고루 반영되는 권력기관의 구성을 차분히 논의해 봐도 좋겠지요.

그리고 유권자들은 대통령이나 정부를 비난만 하기보다 그를 누가 뽑았는가 책임지는 자세를 지녀야 합니다. 과거처럼 국민의 의사가 유린되는 부정선거나 강압선거인 것도 아닌데 주인이 머슴 탓만 하고 끝나서는 안 됩니다. 그런 사람한테 표가 갈 수 없도록 바르게 선거를 이끌었어야지요. 나라를 구성하는 요소를 정부 기업 시민사회로 보기도 하는데 정부나 기업이 스스로의 자각과 변화에 의해서 개선된다고 기대하기는 참 어려워요. 정부는 권력추구가 지상이고 기업은 이윤추구가 지상이니까 그 두 축에 대해서 예방주사도 놓고 훈계

도 할 수 있는 소임은 시민사회 내지 시민단체에 있다고 봅니다. 우리
나라가 다행히 시민사회는 굉장히 활발하게 움직여서 어려운 고비마
다 국민의 뜻을 잘 대변했으니 이번에도 기대를 합니다.[*]

---

* 《한국일보》, 2012년 10월 22일치.

세월호 참사 박근혜에 직격탄

2014년 4월 16일 세월호 참사가 발생하였다. 제주도로 수학여행을 가던 고등학생 248명이 참사당하고 구조에 나섰으나 한 명도 살려내지 못한, 무능하고 부패한 박근혜 정부의 인재와 관재의 종합세트였다.

《경향신문》은 5월 7일치 1면 머릿기사와 2면을 털어 한승헌의 인터뷰 기사를 실었다. 1면 제목은 "세월호 대응 부실로 국민 못 지킨 대통령 헌법상 책임 못 면해"이고, 2면은 "구조 0명은 국격을 0점으로 만드는 일"이라고 그의 발언에서 뽑았다. '대통령 책임론'을 제기한 것은 그가 최초였다.

감사원장을 지낸 원로 한승헌 변호사(80.사진)는 "세월호 참사에서 국민생명과 안전을 지키지 못한 정부의 최고 책임자 박근혜 대통령은 헌법상 책임을 면할 수 없다"고 밝혔다. 또 대통령으로서의 직무를 충실히 수행할 의무도 위반했다고 말했다.

한 변호사는 6일 경향신문과의 인터뷰에서 "대통령은 헌법 선서문에 따라 취임 때 '국가를 보위한다'는 선서를 한다. 이 선서의 핵심 취지는 1차 주권 기관이자 나라의 주인인 국민의 생명과 안전을 지킨다는 뜻"이라며 박 대통령의 헌법 위반을 지적했다.

한 변호사는 "박 대통령은 나중에 무한 책임을 느낀다고 했으나 사고 초기에 제3자나 평론가의 화법으로 하급자와 과거만 탓했다"며 "사고를 부른 구조적 부패의 원인으로 '관피아'란 말이 나오는데 관피아는 전 정권만의 책임이 아니라 대통령을 정점으로 한 현재 집권세력의 자기 사람 심기, 낙하산 인사가 파급되어 만들어진 것"이라고 말했다.

또 박 대통령이 세월호 참사 민심 수습 방안으로 내놓은 국가개조론에 대해 "국가개조나 총체적 부실 등의 용어는 책임 소재를 흐리는 문제점이 있다"고 말했다.

그는 세월호 침몰 이후 한 명도 구조하지 못한 점을 강조하며 "대한민국 국격이나 정부의 대처 능력을 0점으로 만들어버렸다"고 했다. 이어 "안전을 강조하며 부처 이름도 안전행정부로 바꾸었지만 한국 사회가 얼마나 겉치레와 헛구호에 휘둘려 살아왔는가를 보여준다"고 했다.

무고한 국민의 생명을 뺏은 이번 참사의 원인으로는 법치주의의 파괴를 들었다. 한 변호사는 "법치주의의 본질은 집권자가 법으로 정해진 요건과 절차에 따라서 지배하라는 것"이라며 "세월호 참사가 정부와 그와 유착된 집단이 법을 어겨 국민의 생명을 희생시킨 사태로 본다면, 법치주의를 파괴한 결과로 국민 생명이 말살된 것"이라고 말했다.

인터뷰 주요 대목이다. 8년 후 이태원 참사 사건과 유사점이 너무 많다.

"어떤 심경으로 사태를 봤나."

"이번 참사는 불가피한 자연 재해가 아니다. 사람 목숨을 가볍게 여기는 한국 사회의 나쁜 풍조가 드러난 데 마음이 무척 상했다. 선장이나 선원, 해경의 구조를 포기한 일탈 행위에 많은 분노를 느꼈다. 정부기관이나 업체의 이해관계 때문에 대응체제의 혼선이 온 것도 가슴 아프다. 대통령과 청와대, 정부의 우왕좌왕, 책임회피, 진정성 없는 사과에 많은 국민들이 격노했고 나도 마찬가지다."

"박정권의 대응을 어떻게 보나."

"대통령 언동에 진정성이 부족했고 언동의 타이밍도 놓쳤다. 대안을 갖고 사과하겠다고 했는데, 사과는 잘못을 인정하고 사죄하는 게 우선이다. 대안은 그 다음에 차분하게 마련해야 한다. 국민에게 사과한다면서 왜 장관들 앞에서 사과를 하나. 청와대는 컨트롤타워가 없다는 걸 두 번이나 내세우며 책임을 회피했다. 대통령은 국정의 무한 책임을 지는 자리다.

대통령이 취임 때 국가를 보위하겠다는 헌법상 선서(헌법 제69조)의 핵심은 나라의 주인인 국민 생명과 안전을 지키겠다는 것인데 박근혜 대통령은 그러지 못했다. 이는 곧 헌법 위반으로 대통령은 헌법상 책임을 면할 수 없다."

"박 대통령 하야 주장도 나온다."

"주권자인 국민으로서 그런 요구도 할 수 있다고 생각한다. 나는 법학도로서 국정의 무한 책임을 지는 대통령이 헌법 준수를 못했다는 점을 강조하고 싶다. 박 대통령은 게다가 자신의 책임을 통감하는 언동이 부족했다. 오래된 관행이라는 등, 적폐를 바로잡지 못 했다는 등 책임을 전 정권으로만 돌렸다. 나중에 겉치레식으로 무한책임을 느낀다고 했지만, 그간 아웃사이더처럼 말하며 과거 타령만 했다. 이번 사태가 참모가 써준 것으로 보이는 원고를 국무회의에서 번번이 낭독만 하는 걸 봤다. 리더(leader)를 뽑아야 하는데 리더(reader)를 뽑았다며 한탄하는 이야기도 오간다. 오늘날 이런 사태와 무능·부패의 구조를 가져온 게 '관피아'라고 한다면 이 관피아는 누가 조성했나. 대통령을 정점으로 한 현 집권층의 자기 사람 심기, 낙하산으로 관피아가 조성됐다."

"정부의 문제는 무엇인가."

"배 침몰 이후 한 명도 구조하지 못했다. 대한민국 국격이나 정부의 대처 능력을 0점으로 만들어버렸다. 재난 컨트롤타워의 부재다. 민·관·군은 협동이 아니라 배척의 관계를 보였다. 안전행정부를 중심으로 한 정부는 허둥대고 무능하며 뻔뻔하고 약삭빠른 모습만 보였다. 그리고 겉치레와 헛구호로 가득한 국정프로그램을 실감했다. 안전행정부로 이름을 바꿀 정도로 안전을 강조한 게 허상으로 드러났다. (후략)"*

---

* 《경향신문》, 2014년 5월 7일치.

'양승태 사법부' 거세게 비판

박근혜 정부의 국정농단은 끝이 보이지 않았다. 민주정부에서 어렵게 정립되어가던 사법부가 다시 권력에 예속되고 대법원장 양승태의 행위는 비굴하기 그지없었다.

한승헌은 이를 외면하지 않았다. 2016년 3월 22일 저서 《재판으로 본 한국현대사》(창비) 출간을 계기로 기자간담회를 갖고 "'양승태 사법부'가 대통령의 눈치를 살피며 퇴행적인 판결을 하고 있다"고 강하게 비판했다.

이와 관련 《한겨레》는 "집권자 눈치보며 '후진'하는 판결은 대단히 위험, 한승헌 전 감사원장, 과거사 위헌판결 뒤집는 '양승태 사법부' 비판" 제목의 기사를 비중있게 실었다.

한 전 원장은 자신의 새 책 《재판으로 본 한국현대사》(창비) 출간에 즈음한 기자간담회에서 유신시대 긴급조치와 관련한 대법원의 최근 판결 변화를 지적하며 "사법부 바깥의 정치지형 변화와 집권자의 이해관계, 입장에 상응하는 판결, 눈치를 보고 (그것에) 맞아떨어지게 '후진'을 하는 것은 양심과 정의에 어긋나는 대단히 위험스러운 일"이라고 개탄했다.

대법원은 박정희 정권이 1975년 5월 발동한 긴급조치 9호가 국민의 기본권을 침해한 것이어서 위헌·무효라고 2013년 판결했다가, 그 뒤 피해자들이 국가를 상대로 낸 손해배상 소송에서는 "긴급조치 발령은 고도의 정치적 행위이므로 정치적 책임은 물을 수 있지만 국민 개개인에 대한 배상 책임은 인정되지 않는다"고 잇따라 판결해왔다.

이를 두고 한 전 원장은 "대법원 스스로 위헌이라고 했던 판결을 뒤집어 개별 국민에게 배상의무가 없다는 퇴행적 판결을 하니 하급심 판사들이 반기를 들고 있지 않느냐. 광주, 서울 등 여러 곳에서 있었다. (그래서) 대법원이 국민의 눈에 이상하게 보이는 것"이라고 했다.

한 전 원장은 사법부의 퇴행 원인과 관련해 "양승태 대법원장이 법관들을 향해 '얕은 정의감이나 설익은 신조를 양심으로 내세우다가는 오히려 재판의 독립이 저해될 수 있음을 분명히 인식하라'고 하고, 대법관 중에 누구도 '(하급심 판사들이) 선배 법관들을 곤란하게 만들면 안 된다'고 말한 것은 대법원이 하급심의 전향적인 판결을 억제하겠다는 뜻으로, 유감스러운 일"이라며 "(사법권의 독립에는) 대법원장이 어떤 분이냐가 중요하다"고 강조했다.

한 전 원장은 "과거 사법부의 오판은 타율적인 것이었다. 중앙정보부 요원들이 출근하고, 상주하고, 법정에 들어오고 해서 외부의 간섭이 눈에 보였다. (그러니) '사법권 침해다'라고 '외부의 힘'을 들어 변명할 수 있었다. 하지만 이제는 외부의 힘이 없어도 오판이 나타나고 있다. 사법부 스스로 권력지향적이 되고, (법관들이) 일신의 영달을 꾀하다 보니 나타나는 현상이다. 이렇게 되면 사법부가 '권력의 편'이 아니라 '나도 권력자'라고 선언을 하는 셈"이라고 말했다.

한 전 원장은 '너무 늦어진 정의는 정의가 아니다'라는 법언을 인용하면서 "재판이 진실을 밝히지 못하고 불의를 포장해주는 구실을 하고, 재판이 끝났는데 심판은 끝나지 않았다고 하는 사건이 너무 많은 것이 우리 현실"이라며 "더 중요한 것은 우리가 너무 쉽게 잊는다는 것이다. 망각을 방지하는 의무, 이것이 내가 글을 쓰고 책을 내는 소임"이라고 했다.*

---

* 《한겨레》, 2016년 3월 23일치.

제 23 장
석양에 더욱 빛나다

《법창으로 보는 세계명작》펴내

노령에 할 일이 있고 찾는 사람(곳)이 많으면 축복일 터이다. 젊어서 헛되이 살지 않았음의 증좌이기도 할 터이다. 73세이던 2007년 3월 헌법재판소 자문위원으로 위촉되고, 4월 가천대학교, 10월에는 모교인 전북대학교 법과대학 석좌교수를 맡았다. 이 해에는 상복이 있어서 임창순 학술상(4월)과 단재 신채호 학술상(5월)을 잇달아 받았다.

해가 바뀌어 2008년 4월에는 일본 와세다대학 초청으로 〈변호사 체험을 통해 본 한국의 민주화〉란 주제의 특강을 하였다. 일본의 많은 지인과 학생들이 참석하고 일본 언론에서도 크게 관심을 보였다.

이 해 2월에 그동안 준비해온《법창으로 보는 세계명작》이 범우사에서 출간되었다. 변호사 초년 시절 선배 변호사가 발행하는 법률

월간지 《법정》에 동명의 주제로 연재했던 것을 보완하여, 독서잡지 《책과인생》에 재록하고 이번에 다시 '범우문고 261'로 간행한 것이다.

목차에서 그의 폭넓은 독서범위와 문학적 조예를 살피게 한다.

△《사형수 최후의 날》— 빅토르 위고
△《적과 흑》— 스탕달
△《검찰관》— 바실리예비치 고골리
△《주홍글씨》— 너대니얼 호손
△《레 미제라블》— 빅토르 위고
△《죄와 벌》— 표도르 미하일로비치 도스토예프스키
△《인형의 집》— 헨릭 입센
△《옥중기》— 오스카 와일드
△《심판》— 프란츠 카프카
△《이방인》— 알베르 카뮈
△《선택된 인간》— 토마스 만

여기 소개하는 작품들은 이른바 세계 명작의 반열에서도 상석을 차지하는 소설과 희곡들로서, 나이, 직업, 전공을 떠나서 누구나 알아 두어야 할 불후(不朽)의 고전들이다.

"나는 문학을 전공한 사람도 아니고, 그렇다고 남달리 명작을 두루 섭렵한 것도 아니어서, 이런 책을 쓰기에는 역부족인 사람이다. 거기에다 문학이라는 동네와 거리감이 있는 법조인이어서, 책 제호에도 드러나 있듯이 '법창' 즉 법조인의 시각으로 작품을 이해하다보니 코끼리 다리 만지는 격이 되지 않았나 하는 두려움도 없지 않다. 다만, 명작 순례의 지름길을 찾아내어 시간 절약의 가이드 역할을 하는 것으로 자기변명을 삼고자 한다."*

젊은 시절 사형수 관련 〈어떤 조사〉 필화사건으로 옥고를 치렀던 그는 사형제도에 남다른 관심을 갖고 있었다. 여기서는 빅토르 위고의 《사형수 최후의 날》에서 한 부문을 뽑았다.

재판장이 판결문을 낭독했다. "사형!…… 그 순간부터 세상사람들과 나 사이를 가로막은 칸막이 같은 것을 느끼게 되고, 내 눈에 띄는 모든 것이 이미 그전과 같은 모습이 아니었다.…… 그 환하게 햇볕이 스며드는 창들, 그 맑은 하늘, 저 귀여운 꽃…… 이 모든 것이 수의(囚衣)처럼 창백하게 보였다. 사형수! 그래서 안 될 게 또 뭐냐?" "인간이란 모두 집행기일이 확정되지 않은 사형수들이다."
어느 책에선가 이런 말을 읽은 기억이 난다.…… 내가 사형선고를 받은 뒤에도 얼마나 많은 사람들이 장수를 누릴 셈으로 살다가 덧없이 죽어 갈 것인가! 아직 젊고 건강하여 자유를 누리는 사람들이 어느 날 그레이브 광장에서 내 목이 달아나는 꼴을 구경할 속셈으로 왔다가 오히려 나보다도 먼저 죽어버릴 자는 또 얼마나 될 것인가……. 절

---

* 한승헌, 〈이 책을 읽는 분에게〉, 《법창으로 보는 세계명작》, 8쪽, 범우사, 2008.

망과 야유로 범벅이 된 이런 토청(吐請)도 있다.…… 죽음이 임박한 사색의 조서 속에, 끊임없이 커지는 고뇌의 진전 속에, 사형수에 대한 하나의 지적검시기록(知的檢屍記錄) 속에 사형을 선고하는 사람들을 위한 여러 가지 교훈이 없을까? 필경 그러한 기록을 읽고 나면 그들도 산 사람의 머리를 '심판의 저울'에 걸게 될 때 쫌 더 신중하게 될 것이 아닌가…….*

* 앞의 책, 14~15쪽.

법조 55년 기념선집 축하모임

그는 늘 바빴다. 하(할)는 일이 많았다. 누군가 "변호사님 요즘 좀 한가하세요?" 물으면 이렇게 받는다. "저는 조상 때부터 한가 아닙니까? 예나 지금이나 한가합니다."(《유머수첩》) 바쁜 가운데 한가를 즐기고 저술에 한가를 쪼개었다.

실상은 한가하지 않았다. 재조·재야·황야의 시절이 다르지 않았다. 공부하고 글 쓰고 활동하느라 바빴다. '법조 55년'을 계기로 2013년 11월 14일 오후 서울특별시 신청사 8층 다목적홀에서 '한승헌 변호사 법조 55년 기념선집 간행축하모임'이 열렸다.

《권력과 필화》(문학동네), 《한국의 법치주의를 검증한다》, 《피고인이 된 변호사》(범우사)와 일본어판 《한일현대사와 평화·민주주의를 생각한다》(일본평론사) 등 네 권의 선집을 펴내고 축하모임을 연 것이다.

간행위원(위원장 신인령)은 김선주·김효신·김희수·문미란·박승헌·정미화·정연순 변호사, 김효신 경북대교수, 김인회 인하대교수, 남형두 연세대교수, 서보학 경희대교수, 조국 서울대교수, 하태훈 고려대교수이다.

백승헌·정연순 두 변호사의 사회로 진행된 이날 행사는 이만열 (국편위원장)·박원순(서울시장)의 축사, 민청학련계승사업회와 한국기독교교회협의회의 감사패 증정, 구시카지 히로시 일본평론사 사장의 발행인 소감, 김삼웅(전 독립기념관장)의 서평, 장사익의 축가, 저자 답사의 순으로 이어졌다.

한승헌은 답사에서 "네 권의 선집은 그중에서 살아온 격동시대의 흐름, 맥을 되살리는 데 필요한 것들, 역사의 중요한 고비·쟁점을 제대로 알릴 수 있는 것들 중심으로 가려뽑은 것이다"고 설명하면서 심회를 밝혔다.

"평범한 법조인으로 살려 했으나 어쩌다 보니 광풍이 휘몰아친 시대의 한 복판을 걷게 됐다. 나는 리더십이나 카리스마가 있는 사람이 아니다. 그저 옳다고 생각하면 대열 맨 끝일지라도 줄 바꿔 서지 않고 뚜벅뚜벅 걸어가는 스타일이다. 줄 바꾸지 않고 버텨온 것, 그런 나를 대견스레 생각한다. 탄압받고 이들을 대변하고 방어하는 건 지식인으로서 당연한 의무다. 다만 좀 더 적극적으로 공격적으로 그걸 하지 못한 게 아쉽지만 내 천성이 본래 그러하다. 법조인으로서 사명감을 갖고 노력해온 것은 평가해주셨으면 한다."*

신인령 선집간행위원장의 간행사 한 대목이다.

"한 변호사님의 법조생활 55년을 맞이하여 저희 간행위원회는 한 변호사님이 지금까지 집필하신 글들을 모아 '한승헌 변호사 법조55년 기념선집'을 발간하게 되었습니다. 이 선집은《한일현대사와 평화·

---

* 김삼웅,〈취재 메모리〉.

민주주의를 생각한다》,《피고인이 된 변호사》,《권력과 필화》,《한국의 법치주의를 검증한다》 등 총 4권의 책으로 이루어져 있습니다.

제목에서 알 수 있듯이 이 선집에는 법률가로서뿐 아니라 인간 한승헌의 여러 면모를 볼 수 있는 글들이 모여 있습니다. 저희 간행위원회는 이런 다양한 글들이 인간 한승헌의 진면목을 오롯이 드러낼 수 있고, 그의 55년에 걸친 법조생활의 가치를 보다 극명하게 밝혀 줄 것이라 생각합니다."*

* 한승헌,《권력과 필화》, 6쪽, 문학동네, 2013.

한승헌 변호사의 저서 4권과 시대정신

다음은 김삼웅의 서평이다.

젊은 시절의 비판정신과 이상주의는 연륜의 타성에 밀리어 보수적이 되기 쉬운 것이 인생의 행로일 터인데, 한 변호사는 청·장·노가 한결같다. 연치는 늘어나도 정신은 항상 싱싱한, 그래서 필력과 활동에서 영원한 현역, 영원한 청춘임을 보여준다. 우리 주위에는 심장이 뜨겁고 영혼이 맑은, 그리고 백세청춘의 분들이 더러 있다. 함석헌 선생이 그랬고 산민(한승헌) 선생이 그렇다.

다산 정약용이 "시대를 가슴 아파하고 세속에 분개하지 않으면 글(시)이 아니다"라고 갈파했듯이, 한 변호사의 글은 예나 이제나 여기서 한 치도 떨어지지 않는다. 그의 많은 저서는 오욕의 시대를 가슴 아파하고 현실의 모순에 분개하면서 정론과 직필로써 어둠의 장막을 헤쳐왔다. 글에는 뼈가 있고 유머와 재치는 넘치지만 결코 음풍농월의 글은 쓰지 않았다. 한 변호사의 펜은 양날의 칼이다. 한쪽은 불의를 베는 비수이고, 다른 쪽은 정의를 지키는 보검이다.

한국현대사의 소용돌이 속에서 다수의 법조인과 지식인들이 재물과 허명을 좇으며 시류에 영합하고 보신에 급급할 때에 그는 타고난 반골정신과 탐구정신으로 법전은 물론 문·사·철을 넘나드는 필봉으로 광기의 권력에 맞서왔다.

바이런이 "사람은 질 줄 알면서도 싸워야 할 때가 있다"고 했듯이, 그는 기소장과 판결문이 동일한 폭압의 시대에 패소가 예정돼 있었음에도 학생·민주인사들의 변론을 마다하지 않았고, 그럼에도 불구하고 그들은 변론을 의뢰하였다. 나의 얕은 지식으로는 질 줄 알면서도 변론을 맡고 이를 맡긴 경우는 드레퓌스 사건의 에밀 졸라 이래 그가 처음이 아닌가 싶다.

이번에 '법조55년 기념선집'으로 묶인 4권의 책은 상당히 긴 시간의 퇴적층에서도 생명력을 갖고 살아 있는 글들이다. 한 변호사의 많은 저서 중에서 법조와 관련하여 펴낸 세 권과, 일본에서 발간한《한일현대사 —평화와 민주주의를 생각한다》는, 다시 역류하는 법치주의와 한일관계에서 보아 대단히 시의적절한 선택이었다. 간행위원들의 예지가 돋보인다.

이번에 새로운 장정으로 묶이거나 신고 또는 강연록을 풀어서 모은 저서는 일본 닛폰효론(일본평론)의《한일현대사와 평화·민주주의를 생각한다》와《권력과 필화》,《피고인이 된 변호사》,《한국의 법치주의를 검증한다》는 4권이다. 오래 전에 한 변호사가 쓴 글과 근년의 연설록들을 모아 새롭게 단장하였다.

4권의 저서를 짧은 시간 안에 서평을 한다는 것은 불가능하고, 제가 그럴 위치나 역량에 이르지도 못한다. 하여 저서의 전편에 내장된 한 변호사의 글쓰기 정신을 찾아서 면책하고자 한다.

'문체(文體)'라는 말에서 드러나듯이 육체가 동반하지 않은 글은 '글쟁이'라고 부를 수 있을지 모르지만 문사나 지사는 될 수 없다. 단재 신채호와 춘원 이광수, 위당 정인보와 육당 최남선의 글이 다른 것은 글과 인이 일체이고, 또 일체가 아니기 때문일 것이다. 한 변호사의 글은 '문(文)과 인(人)'의 일체이기에 생명력이 있고 설득력이 있고 공감하게 된다. 특히 무거운 주제의 글에서도 적절하게 인용하는 고사와 비유는 쉽게 읽히고 오래 기억하게 만든다. 포복절도할 때도 적지 않다.

유신의 광기가 칼춤을 추던 1977년 12월호《기독교 사상》에는 권두 논문으로 한 변호사의 〈법정신과 인권사상〉이 실렸다. 악법을 만들고는 준법을 강요하여 인권이 짓밟히던 삼엄한 시대였다. 이 글은 '극복해야 할 '법치'의 허상'이라는 부제가 말하듯이 반인권의 유신정권을 준열하게 비판하면서 최고권력자의 책임을 묻는 한 사례를 들었다.

사마천의《사기》를 보면 아주 훌륭한 재판관이 하나 있습니다. 그 사람은 명판결을 해서 훌륭한 재판관이라고 말하는 것은 아닙니다.

진나라 때 이야기인데 그는 부하가 조사한 조서만 보고 유죄 판결을 하여 사형을 집행했습니다. 그 뒤에 알고보니 전혀 터무니없는 오판이었습니다. 억울한 사람을 죽인 책임을 느껴 문공(文公) 왕에게 찾아가 "제가 억울한 사람을 죽였으니 저를 죽여주십시오" 했습니다. 그때 문공이 "자네가 잘못한 건가, 자네 부하가 잘못해서 그렇지"라고 했습니다. 그러나 그는 "아닙니다, 나는 결코 그러한 판결권을 부하에게 준 적도 없고 사법관으로서 나라에서 받은 녹(祿)을 부하에게 나누어 준 적도 없습니다. 모든 것은 저의 책임입니다"라고 하니까 왕은 "그러면 자네를 그 자리에 임명한 나도 책임이 있으니 나도 죽어야겠네"라고 했습니다.

더 이상 인용을 생략한다. 부하의 잘못에 대해 책임을 지려는 고위관리, 정작 임명권자는 책임을 외면한 채 아랫사람에게 책임을 묻거나, 그마저도 덮으려는 무책임정치의 위정자를 고전을 통해 고발한 것이다. 오늘에도 현실감이 넘치는 것은 잘 쓰는 글이 시공을 초월하기 때문인 것인지, 세상이 되풀이 돼서인지 모르겠다.

한 변호사의 글은 법률가의 절제된 언어 속에서 문학적인 넉넉함과 사가의 필력을 도처에서 발견하게 된다. 법·문·사의 좀처럼 어울리기 어려운 분야를 섭렵, 융합한 때문이다. 〈바보예찬〉이라는 수필의 한 대목이다.

보통의 바보들은 그 바보스러움으로 인한 피해가 자기 일신에 되미치는 것임에 반하여, 세도가나 지식인들의 우매함은 사회와 역사에 큰 피해를 준다. 권력을 휘두르는 자의 횡포가 그러하고, 곡학아세하는 학기(學妓)들의 놀음이 그러하다. 한 시대의 양심이 되어야 할 지식인들이 자기사명을 선반 위에 올려놓고 기껏 현학(衒學)의 늪에서 정신적 마스터베이션이나 하는 꼴은 고급 바보의 대표적 모습일 것이다.

오래 전에 발표한 이 글에서는 5, 60년대 함석헌과 조지훈의 결기가 묻어난다. 권력의 횡포와 학기들의 곡학아세가 날뛰는 오늘에 더욱 반추되는 대목이다.

권력의 횡포에 맞선 17건의 필화사건과 이 사건들에 대한 변론, 문학과 필화, 표현의 자유와 권력을 함께 다룬 문학동네의 《권력과 필화》는 우리 사회에 먹구름이 밀려오면서 다시 필화사건(안도현 시인사건)이 일고 있는 시점에서 더욱 값지다. 독재 정권 시절의 대표적인 필화사건을 도맡다시피하여 변론하고 직접 필화를 겪기도 하였기 때문에 내용에 더욱 생생함을 보여준다. 이 책에도 실린 〈권력과 지식인〉에서 저자가 쓴 한 대목은 오늘에도 유효한 메시지다.

무릇 지식인은 한 시대의 고민을 남보다 먼저 알아야 하며, 상황의 위험신호를 앞장서서 알려야 할 사명을 갖는다. 그런 사명에 충실하다보면 위정자로부터 미움을 받을 수도 있다. 학자나 문인들이 인권탄압을 비난하는 것조차도 본문을 망각한 정치활동이라고 억지를 부리는 일은 몇 번 고쳐 생각해보아도 지나친 노릇이다.

범우사에서 나온 《피고인이 된 변호사》는 제호부터가 불온하다. 불의한 시대에 불온한 법조인마저 없었다면 한국사회는 오래 전에 질식사를 했을지 모른다. 한 변호사는 숨막히던 시절 변호사석에서 피고석으로 자리를 옮기면서 이 땅의 양심세력을 변호했던 불온한 반체제 지식인이었다. 돌이켜보면 사법질서가 무너지던 시대에 피고인이 된 불온한 변호사라도 없었다면 우리의 사법정의와 사법적 양심을 어디서 찾게 됐을지 알지 못한다.

한 변호사의 《피고인이 된 변호사》는 자전적 에세이라고 할 만큼 살아온 역정과 바깥 세상의 비망록, 오늘에 다시 돌아보는 사유의 편독이다. 총 72편의 에세이는 몽테뉴《수상록》이 생각날 만큼 때로는 가슴 뭉클하고 감동적이며 세사를 보는 안목을 넓혀준다. 편편에 따르는 유머는 과외의 소득이기도 하다.

1991년에 쓴 〈시대의 격랑 속에서〉의 마지막 대목은 다시 읽어도 산민 선생의 올곧게 사는 삶의 지침으로 다가온다.

자랑스럽게는 못 살망정 부끄럽게 살지는 말자는 것. 지식인의 도리는 다하지 못할지라도 학기(學妓)는 되지 말자는 것 ― 이런 자계(自戒)는 여전히 유효하다.

부질없는 사족이지만 에릭 홉스봄이 그의 자서전《미완의 시대》에 적은 경구를 한 변호사님께 전하면서 연작(燕雀)의 자리를 모면하고자 한다.

"시대가 아무리 마음에 안 들더라도 아직은 무기를 놓지말자. 사회의 불의는 여전히 맞서 싸워야 하기 때문이다. 세상은 저절로 좋아지지 않는다."

저는 여기서 '무기'를 펜으로 바꿔서 한 변호사님께 드리고자 합니다.*

---

* 김삼웅, 앞의 자료.

자서전 《한 변호사의 고백과 증언》

2009년은 그에게 의미 깊은 해가 되었다. 연초(1월 5일)부터 《한겨레》의 기획물인 '길을 찾아서'에 '한승헌의 사랑방 증언'이란 제목으로 자전적인 글을 연재하였다. 5월 1일까지 83회에 걸쳐 연재한 자서전이다.

연재를 마치고 이 해 11월 하순 한겨레출판에서 《한 변호사의 고백과 증언》이란 제목의 단행본으로 출간하였다. 저자는 머리말에서 "연재물에 얼마쯤의 보완·가필을 하여 단행본의 모습으로 새롭게 태어난 것이다. 신문 연재에 따르는 시간·지면의 제약 등으로 불가피했던 미비점을 고치는 작업을 했고……."*

그는 이어서 "자서전은 그것을 쓰는 사람 자신이 주인공이자 화자(話者)가 되는 글이다. 그런데 내 삶의 이야기로만 귀한 지면을 채울 수는 없었다. 오히려 내가 접했던 빛과 어둠의 인물들에 대해 말하고 싶었다. 불의와 고난의 시대에 의를 위해서 저항하고, 무도하게 탄압받고, 그러면서도 '바른 세상을 향한 열정을 접지 않은 사람들'의 이야기를 쓰고자 했다."**

그가 출생한 1934년부터 단행본으로 엮은 2009년까지, 종으로는 파란중첩의 개인사이면서 한국현대사의 한 축이고, 횡으로는 법조사

---

* 《자서전》, 4쪽.
** 앞과 같음.

와 인권운동사의 내막을 담는 기록물이다. 그는 자신의 생애를 압축한 자서전을 '수비수의 비망록'이라 평했다. 무릇 자서전이나 회고록은 결국 진실의 순도를 얼마나 담아냈는지로 가늠한다면, 성공작에 가깝다는 평을 받을 수 있을 것이다.

돌이켜보면, 나는 이 세상에서 '주전멤버'는 아니었다. '어시스트'를 주로한 셈이었다. 축구로 말하면 득점과 그에 따른 함성은 내 몫이 아니었다. 아니, 어쩌면 실점의 위기를 막아내야 할 수비수이기도 했다. 그런 소임은 화려한 주역은 아닐지라도, 누군가가 맡고 나서야 할 소중한 배역이라고 생각했다.

그런 의미에서 이 자서전은 얼마쯤의 역할 자각이 깔린 '세상 도우미의 노래'이자 '수비수의 비망록'이라고 할 수 있겠다. 이 노래와 비망록에는 자부심과 보람도 담겼지만, 아쉬움과 부끄러움도 묻어 있다. 하지만, 사실에 바탕을 둔 진실을 기록해야 한다는 계명을 소홀히 할 수는 없었다.*

자서전은 다음과 같이 구성되었다.

1. 내 삶의 부감도와 학창시절
2. 시국사건 변호사의 험난한 세월
3. 1970년대 이 땅의 광기 속에서

---

* 앞의 책, 5쪽.

4. 끝없는 고난의 행렬을 따라

5. 변호사 — 구속자 — 실업자 — 구속자 — 실업자

6. 1980년대의 감옥살이. 강단. 법정

7. 민주 · 통일을 향한 '사건' 속에서

8. 감사원에서 사법제도개혁추진위원회까지

9. 나 자신으로 돌아와서

에필로그 : 그래도 못다 한 말

저자는 에필로그에서 이렇게 썼다.

"그 잔혹한 시대에, 그 많은 사람들이 참 용케도 하나가 되어 한 방향으로 대장정을 할 수 있었던 것이 대견스럽고 감격스럽다. 피차 소아(小我)를, 달리 하면서도 대아(大我) 앞에서는 하나가 되었기에 그 살벌한 독재와 불의를 물리치고 민주세상을 이룩할 수 있었는데, 지금은 어찌 되었으며, 어찌 되어가고 있는가. 비유컨대, 전시의 싸움에서는 이기고, 전시의 '관리'에서는 실패한 결과가 되었다."*

책의 뒤표지에 실린 3인의 서평은 책의 품격을 보여준다.

"한승헌 변호사의 말솜씨는 당해낼 사람이 드물다. 그런데 변호사로서는 아마도 형사소송 패소율이 가장 높은 변호사의 하나였을 것

---

* 앞의 책, 407쪽.

이다. 게다가 한 때는 스스로 피고인이 되어 동료 변호사들의 패소율을 높여주기도 했다. 어쩌다가 이런 인생을 살게 됐는지, 법정이나 감옥 바깥에서의 활약은 또 어땠는지, 이 책은 시종 뛰어난 솜씨로 풀어나간다."

— 백낙청(문학평론가, 서울대 명예교수)

《한 변호사의 고백과 증언》은 불의와 고난의 시대에 무도한 탄압을 받으면서도 바른 세상을 향한 열정을 접지 않았던 사람들의 목소리를 충실하게 전달한다. 역사 무대에서 박수갈채를 받는 주인공 대신 기꺼이 조연의 역할을 다해온 한 변호사의 삶은 '소박한 양심을 간수한 법률가'의 전범(典範)이다. 나를 비롯해 이 시대 '먹물'들과 법조인들의 소명을 일깨우는 귀한 책이다. 일독을 권한다."

— 박원순(변호사)

"이 책은 무지막지한 폭력의 역사를 기록한 것임에도, 마치 한 편의 우화(寓話)를 읽고 난 뒤처럼 산뜻한 감동이 남는다. 참 재미있고 특별하다. 아무리 누르려 해도 결국 정의가 이긴다는 삶의 단순한 진리를 전달하기 때문인 것 같다. 또 어떤 상황에서도 유머가 돋보이는 한 변호사님의 여유롭고 겸손한 인생관이 빛을 발하기 때문이다.

이 책을 읽고 한 변호사님의 유쾌한 여유를 배워보자. 삶의 어두운 힘들이 우리를 괴롭혀도 결코 지칠 것 없다. 웃는 자가 이기니까."

— 강금실(변호사)

제 24 장
노후의 유유자적

필화사건 재심 무죄,
국민훈장 무궁화장 받아

그는 사법제도개혁추진위원회위원장을 마친 후 대통령 통일고문, 헌법재판소 자문위원 경원대학교 석좌교수, 전북대학교 법과대학 석좌교수 등을 지냈으나 모두 한시적인 업무여서 시간에 여유가 있었다. 책을 읽고 글을 쓰고 여기저기 모임에서 축사를 하는 등 유유자적한 나날이었다.

반가운 일도 있었다. 2017년 6월 24일 대법원의 재심에서 1974년 〈어떤 조사〉의 필화사건이 무죄 판결을 받았다. 반공법 위반 혐의로 구속기소되어 악독한 고문과 징역 1년 6개월을 살고, 또 다른 조작사건으로 옥고와 8년 동안 변호사 자격을 박탈당했던 사건이 42년 만에 무죄가 된 것이다. 반세기에 가까운 세월 동안 옥죄었던 '주홍글씨'를 떼게 되었다.

한 해 전 그는 재심을 청구했고, 재심재판부는 "수필 내용은 사형 집행을 당한 사람을 애도하고 있을 뿐, 국가보안법이나 반공법 폐지 주장은 나오지 않는다"며 무죄 판결을 내렸다.

《한겨레》 기자와 가진 인터뷰에서 "영국 정치가 윌리엄 글래드스턴은 '너무 느려빠진 정의는 정의가 아니'라고 했습니다. 내 나이 41살 때 〈어떤 조사〉 필화사건으로 구속기소돼 유죄 판결을 받았어요. 83살이 된 지금 재심 끝에 무죄가 됐지요. 그나마 개인적으로는 다행이지만, 여전히 참담하고 착잡한 마음입니다. 과거 독재 치하에서 전과자 누명을 쓰고 사법살인 같은 참변을 당한 분들께 빚을 진 것 같아요."[*]

그는 당시 옥고를 치르면서 뒷날 대통령이 된 문재인과의 인연을 소개하였다.

"당시 검찰수사는 진실을 밝히는 과정이 아니라, 그 자체로 민주화운동을 했던 인사들에게 정신적·육체적 고통을 주는 모욕이자 보복이었어요. 사법부의 태도도 비슷했습니다. 다행히 내게는 복역 기간이 여러 가지 법을 새로 공부하고, 의로운 청년이나 민주인사와 인연을 맺는 소중한 기회였어요. 75년 서울구치소 구금 중에 데모하던 대학생이 옆방에 왔길래, 교도관을 통해 새 '메리야스'(내의) 한 장 건넸

* 《한겨레》, 2017년 6월 26일치.

는데, 그게 '경희대법대생 문재인'이었던 것 같은 일들이죠.(웃음)"*

한승헌은 2018년 9월 13일 열린 사법부 70주년 기념행사에서 국민훈장 무궁화장을 받았다. 대법원은 그가 권위주의 정부 시절 인권변호사로서 수많은 시국사건 변호를 맡는 등 국민 기본권 보장을 위해 헌신한 공로를 인정한 것이다.

그는 어느 자리에서 훈장을 받은 것에 대해 너스레를 떨었다.

"여러 사람으로부터 축하 인사를 받았는데 제가 젊은시절 꿈이 훈장(선생님)이 되는 것이었어요. 그래서 사범학교에 응시했으나 떨어져서 훈장이 못 되었는데, 그래서 정부에서 훈장을 준 것 같아요."

프랑스의 지성지 《리베라 시옹》은 1972년 10월 창간 선언문에서 "사회적 등급이 올라갈수록 도덕성이 희박해진다"고 경고했다. 이 같은 현상은 동서가 다르지 않는 것인가. 이명박에서 박근혜로 정권이 바뀌면서 꼴불견 현상이 나타났다. 지난날 김대중과 함께 민주화운동을 했거나 젊은 시절 반유신운동을 했던 인사들이 박근혜 정권으로 몰려갔다. 선거 과정에 박근혜를 지지한 진보진영의 명사들도 꽤 많았다.

법조인들도 다르지 않았다. 반유신·반5공 투쟁에 나섰던 변호사 중에는 이명박·박근혜 정부의 요직에 들어가 허명을 날리고 부패정권을 지탱해 주었다.

한승헌은 1980년 날조된 김대중내란음모사건에 엮여 받은 유죄판결도 2003년 재심에서 무죄판결을 받았다.

* 앞과 같음.

물욕 없고 탈권위의 서민 그대로

그는 나이가 들고 사회적 위상이 높아져도 권위주의적이거나 그렇다고 속물적이지 않았다. 위선을 몰랐으며 채하지 않았다. 선한 눈매를 간직한 모습도 그대로였다. 권위라는 겉멋을 내세우지 않았으며, 노추와는 거리가 멀었다. 물욕을 탐하지 않고 여전히 그름을 배척하였다.

다산 정약용은 유배지에서 "어느 정도 현실에 타협하면서 사는 것이 어떻겠느냐"는 아들의 편지를 받고 다음과 같이 썼다. "천하에는 두 가지 큰 기준이 있는데, 옳고 그름의 기준이 그 하나요, 다른 하나는 이롭고 해로움에 관한 기준이다. 이 두 가지에서 네 단계의 큰 평등이 나온다. 옳음을 고수하고 이익을 얻는 것이 가장 높은 단계이고, 둘째는 옳음을 고수하고도 해를 입는 경우이고, 세 번째는 그름을 추종하고도 이익을 얻음이요, 마지막 가장 낮은 단계는 그름을 추종하고 해를 보는 경우다."

이것은 바로 한승헌의 길이었다. 그는 노령에도 누군가의 지적대로 차가우면서도 따뜻하고 따뜻하면서도 절도 있는, 단아하게 절제된 언어와 행동모습을 보여주었다. 우연히 읽은 한 시인의 글에서 그의 평상심의 일단을 엿볼 수 있다.

……신년인사회에 가느라 버스를 탔지만 마음은 새롭지 않습니

다. 마침내 목적지, 행사가 시작되려면 20여 분이 남았지만 행사장엔 나이 든 사람들이 가득하고, 한쪽에 배치된 의자들은 아예 경로석입니다. 여든 가까워 보이는 어른 한 분이 들어섭니다. 빼빼 마른 몸을 어서 의자에 앉히셨으면 좋겠습니다. 그러나 어른은 의자는 보는 둥 마는 둥 인파 속에 설 자리를 잡습니다.

제 젊은 동행도 그분을 보고 있었나 봅니다. "저분이 누구예요?" 그의 눈이 존경심과 호기심으로 반짝입니다. "한승헌 변호사님"이라고 대답하는 제 목소리에 힘이 들어갑니다. 멋있게 나이 드는 어른을 뵈면 젊지 않은 게 자랑입니다. "늙으면 필연코 추해진다"고 노래했던 이영광 시인이 옆에 있다면 '저분을 보시오. 저분을 보고도 그렇게 말할 수 있겠소?' 하고 묻고 싶습니다.*

그는 젊어서나 중년에나 노년에나 버스와 지하철을 이용하였다. 감사원장은 관용차가 배정되었으나 변호사 시절에는 대중교통으로 출퇴근하고 생활은 지극히 검소하였다. 공사를 분명히 했다. 감사원장 시절 수행비서(운전기사)의 기록이다.

비 오는 날 차를 타고 내리시면 차 바닥에 젖은 발자국 두 개만 나란히 나 있고, 공중전화 박스에 남이 쓰고 남은 동전이 있는데도 그것을 쓰지 않으시고 다른 부스로 가서 동전을 넣고 전화를 거는 분이었다. 동전이 남아 있는데도 왜 쓰지 않으시냐고 여쭈었더니 "그건 남의

---

* 김흥숙, 〈저는 노인이 아닙니다〉,《한겨레》, 2013년 1월 12일치.

돈인데?" 하셨다.*

그의 오랜 측근으로 곁에서 지켜보아 온 함광남(한국제일경영연구원 원장)의 회상이다.

나는 먼저 경제적으로 어려운 한 선생님의 처지(그때 그분은 일반 시내버스로 출퇴근하셨다)를 생각하여 몇 개의 재벌그룹 고문으로 위촉받아보자고 하면서 그 당국자의 제의를 수용하는 게 좋겠다고 말씀드렸다. 재벌그룹 몇 군데 고문으로 위촉만 된다면 사무소 운영은 걱정할 게 없었기 때문이었다. 그뿐인가. 한 선생님 가족들도 쪼들리는 생활에서 어느 정도는 해방될 수 있었다.

그러나 그분의 대답은 역시 "아니다"였다. "관의 힘을 빌리거나 권력과 야합하여 이익을 챙겼다면 벌써 갑부가 되었을 터인데, 그렇게 하지 않기로 마음먹고 지금까지 부끄러움 없이 살아온 내가 이제 와서 그따위 협조를 받으면서 마음에도 없는 정권찬양이나 하고 그들의 비위를 맞추는 행동을 할 수는 절대로 없다"는 것이었다. 나는 그만 머쓱해지고 말았다.

이튿날 한 선생님은 '세한송백(歲寒松柏)'이라는 글을 붓글씨로 써서 사무실 벽에 걸어놓으셨다.**

---

* 박환철, 〈한승헌 원장님 그 존함은 내 인생의 큰 전환점이었다〉, 《산민의 이름으로》, 246쪽, 이지출판, 2021.
** 함광남, 〈'사서하는 고생'을 보면서〉, 《한 변호사의 초상》, 301~302쪽.

균형과 탈속…기독교인이 되다

1970~80년대 이래 한국의 민주화운동은 기독교계 인사들이 주도하는 경우가 많았다. 신구교가 연대하거나 따로하는 행사에 재야·문인·교수 등이 참여하기도 하였다. 독재정권은 이를 가혹하게 탄압하고 투옥을 일삼았다. 각종 시국사건이 일어나고 한승헌은 전담하다시피 이들의 변론을 맡았다. 그리고 그도 어느 순간 크리스천이 되었다.

"내가 기독교인이 된 것은 기독교인들을 변호하다가 그들의 올바른 신앙에 영향을 받았기 때문이었다. 그래서 나는 말한다. 흔히들 피고인은 변호사를 잘 만나야 한다고 하는데, 변호사는 피고인을 잘 만나야 한다고.

내가 지금까지 살아오면서 적지 않은 고난을 이겨낼 수 있었던 것은 내가 알았든 몰랐든 하느님의 사랑과 도우심에 의한 것이었음을 뒤늦게나마 깨닫게 되었다. 그 은총에 보답하기 위해서도 하느님과의 수직적인 관계 못지않게 이 세상 형제들과의 수평적인 관계를 중시해야 한다고 믿게 되었다."*

기독교인들을 변론하면서 그들의 민주주의에 대한 신념, 확고한 사생관, 어떤 박해나 유혹에도 흔들리지 않는 자세에 경외심을 갖게

---

* 《자서전》, 385쪽.

되고, 결국 자신도 기독교 신앙을 택하였다.

대부분의 사람들이 불의를 외면하고, 심지어 같은 기독교인들조
차도 정교분리를 이유로 유신독재에 눈감는 판국에 일신의 위해와 고
난을 무릅쓰고 반대운동에 나선 기독교인들의 용기에 나는 감동했다.
그러다 1970년대 초반부터 수유리에 있는 크리스천아카데미의
각종 모임에 제법 열심히 나가게 되었는데, 거기서 주워들은 '넌크리
스천적인 크리스천', '크리스천적인 넌크리스천'이란 말에 마음이 끌
렸다. 꼭 교회에 나가지 않더라도 기독교인답게 살면 되지 않느냐는
생각이었다."*

어머니는 기독교인이 아니었고 부인은 기독교인이어서 자칫 고
부간의 불화가 염려되었으나 모친이 며느리의 신앙심을 존중하여 기
독교에 귀의하였다. 그리고 얼마 후 어머니의 소속 교회에 온 가족이
함께 다니기로 결정하였다. 담임목사의 증언을 들어보자.

언제부터인가 양광감리교회에 출석하시게 되었고, 이제 우리 교
회의 든든한 평신도 지도자로서, 억울한 일을 당하는 교인들의 법률
적인 문제를 함께 걱정하고 해결해주시는 법률상담자로 매주일 봉사
하시는 모습을 보게 됩니다. 너무나도 자랑스럽고 고마운 마음을 가

---

* 앞의 책, 382~383쪽

지는 것은 저만이 아닙니다."*

　　그는 서울구치소에 수감되면서 성경을 읽고 9개월 동안 감옥의 독방살이를 하면서 신앙으로서의 기독교와 지식으로서의 기독교를 체득할 수 있었다고 한다. 출감 후 출판사를 할 때 기독교 성직자와 신학자들의 원고를 손질하거나 교정을 보면서 더욱 기독교와 가까워졌다.

　　한승헌에 관한 본격적인 첫 연구서라 할 수 있는 김인회(인하대 법학전문대 교수)의 《한승헌 변호사의 삶, 균형과 품격》은 그의 '열 가지 균형'의 마지막으로 '세속과 탈속의 균형'을 들었다.

　　"균형의 마지막은 세속과 탈속의 균형이다. 선생의 치열한 삶은 세속에서만 완성된 것이 아니다. 선생의 삶은 세속을 뛰어넘은 탈속의 향기를 진하게 풍긴다. 마치 수행자처럼 세속의 삶을 살다 세속을 초월한 삶을 완성했다. 균형, 중도, 평온은 초월의 의미를 갖는다. 실제로 선생은 세속의 치열한 삶 속에서 그리스도를 만났고 종교인이 되었다. 반독재 민주화투쟁을 하던 기독교인들에게 감화를 받았기 때문이라고 선생은 말한다. 그렇지만 원래 탈속의 경향이 있었기 때문에 기독교인들에게서 감화를 받았을 것이다."**

---

* 　김기복(목사, 연세대 교목실장), 〈한승헌 변호사님의 가정과 신앙〉, 《한 변호사의 초상》, 72~73쪽.

** 　김인회, 《한승헌 변호사의 삶, 균형과 품격》, 13쪽, 이지출판, 2021.

미수기념 문집《산민(山民)의 이름으로》

　그는 80살을 넘기고도 왕성한 활동가였다. 역설이지만 청년기에는 원로처럼, 노년기에는 청년처럼 그런 모습이었다. 굴곡진 세상에서 직선으로 가는 도정에 험한 바위산도 만나고 천길 단애로 굴러떨어지기도 하면서 평정심을 잃지 않고 살아왔다. 그 세월이 어느덧 미수(米壽)에 이르렀다. 부인 김송자 여사도 함께 맞는 미수였다.

　아무리 장수시대라 해도 정신과 육신이 정정한 상태로 88살을 맞기는 드문 게 현실이다. 이미 회갑기념문집을 낸 바 있어 미수문집 간행을 만류하였으나 산민회원들이 일을 서둘렀다. 산민회란 각 분야에서 그를 모시고 일했던 분들이 아호 산민(山民)의 이름으로 만든 친목 모임이다.

　이들은 '산민 한승헌변호사 미수기념문집 편집위원회'를 구성하고 함광남(위원장), 이종철, 강영매, 서용순, 김은정을 위원으로 하여 문집간행 작업을 서둘렀다. 문집은 1부와 2부로 나누어, 1부는 산민과 함께 고난의 시대를 겪어온 각계 인사들의 시선을 통해 본 주인공의 삶을 조명하였다. 2부는 각 분야에서 산민을 모시고 일했던 산민회원들이 주인공의 여러 면모를 되새기며 오래 기리도록 하는 글이다.

　글을 쓰신 분들이다.

김남조 ― 시인 · 전 숙명여대 교수

이어령 ― 전 이화여대 교수 · 전 문화부장관

이해동 ― 목사 · 전 청암언론문화재단 이사장

신인령 ― 이화여대 명예교수 · 전 이화여대 총장

임헌영 ― 문학평론가 · 민족문제연구소장

장석주 ― 양광교회 담임목사

유시춘 ― 작가 · EBS 이사장

김인희 ― 인하대 법학전문대학원 교수 · 변호사

함광남 ― C&A Expert 회장

김정완 ― 일곡유인호기념사업회 이사장 · 수필가

윤수경 ― 전 사회복지공동모금회 사무총장

강인한 ― 시인

윤형두 ― 범우사 회장

이종철 ― 전 국립한국전통문화대 총장

장영달 ― 전 국회의원 · 현 우석대학교 명예총장

유석성 ― 전 안양대 · 서울신학대 총장

이종민 ― 전북대학교 명예교수

한혜빈 ― 서울신학대 사회복지학과 명예교수

강영매 ― 이화여대 통역번역대학원 겸임교수

편호범 ― 수원대 석좌교수 · 전 감사원 감사위원

김정하 ― 전 감사원 사무총장

김희수 ― 경기도청 감사관 · 변호사

남형두 — 연세대 법학전문대학원장 · 변호사

서용순 — 이지출판사 대표 · 수필가

김은정 — 전북일보 콘텐츠기획실장 겸 선임기자

이승억 — 전 울산과학기술원(UNIST) 상임감사

박환철 — 전 감사원장 수행비서

조일래 — (재)농촌 · 청소년미래재단 이사장

이주완 — (주)비앤북스 대표

신영미 — 하늬바람영글다 대표

정훈모 — 한국주택금융공사 부산지사장

김영수 — 감사원 재직

김윤미 — 삼상초등학교 병설유치원

오수연 — 전 법무법인 광장 비서

김신혜 — 전 법무법인 광장 비서

문집 편집위원회는 간행사에서 밝혔다. "선생님을 모시고 일하면서 옳고 바르게 산다는 것이 어떤 것인지, 삶의 정신과 자세를 배우며 깨달음을 얻은 이들의 절절한 사연을 통하여 산민 선생님의 인애, 통찰, 청렴, 포용, 절제, 근면, 성실, 겸양, 신의, 용기 등 여러 면모를 되새기며 오래도록 기리고자 하였습니다."

간행사는 이어진다.

수많은 역경과 환난을 겪으면서도 불굴의 신념으로 오직 나라를 위한 헌신으로 일관하신 선생님의 정신과 자세는 이 나라뿐만 아니라 아시아의 여러 나라에서도 본받아야 할 의인(義人)의 표본으로 섬기고 있습니다. 이러한 사실들이 역사에는 이미 기록되어 있지만, 이 문집에서는 십분의 일도 담아내지 못하여 송구스럽기 짝이 없습니다.

산민 선생님과 함께 미수를 맞으신 김송자 여사님의 삶 또한 '고난' 그 자체였습니다. 동역자로서 부인으로서 내조해 오신 과정은 눈물과 탄식의 연속이었습니다. 그러나 사모님께서는 의연한 자세로 가족의 생계와 자녀교육과 선생님을 뒷바라지하는 등 수많은 난관을 극복해 내셨습니다. 그 노고와 공적에 깊은 감사와 존경과 사모하는 마음을 전해 올립니다.

산민 선생님, 김송자 여사님!
미수를 진심으로 축하드립니다.
부디 내내 강건하시고 평안하시옵소서.*

---

* 《산민의 이름으로》, 15~16쪽, 이지출판, 2021.

단애에 버티고 선 천년의 바위 같은 모습

미수기념문집에서 몇 분의 글을 발췌한다. 이어령(전 문화부장관)의 〈바위의 이끼는 늙지 않았다〉의 한 대목이다.

"한 변호사 화갑기념문집에 쓴 글 말미에 육십이 되고 칠십이 되어도 이끼는 바위처럼 천년을 누리고 만년을 살 거라고 했는데, 내 생각대로 한 변호사는 단단한 바위처럼 꿋꿋이 미수(米壽)를 맞았다. 그의 삶을 다시 돌아보니, 그는 검사요 변호사요 인권운동가요 문필가요 교수요 지식인이요 고위공무원으로 다양한 삶의 모범을 보여준 진정한 칠전팔기의 주인공이었다. 그런 그가 부정이나 불의 앞에서 확고하고 엄격한 자세로 대결하는, 흡사 단애(斷崖)에 버티고 선 천년의 바위 같은 모습을 지켜온 것에 대해 진심으로 경의를 표한다."

유시춘(작가, EBS 이사장)의 〈민주화운동의 대열에서〉한 대목이다.

"2001년 국민의 정부가 '국가인권위원회'를 창설하고 나는 상임위원으로 일하게 되었다. 그 3년 기간 동안 변호사님과 나는 한 달에 두어 번 인근 식당에서 식사를 하면서 즐거운 시간을 가졌다. 그때마다 변호사님이 나지막하게 조근조근 정감 가득한 유머를 들려주시곤 했다.

촌철살인, 순발력이 녹아 있는 것은 암울한 현실을 가로지르면서도 결코 좌절하지 않는 지적 통찰력이다. 실로 부드러운 종횡무진이 아닐 수 없다. 청춘은 결코 생물학적인 나이를 지칭하는 말이 아니다. '이상의 꽃이 없으면 쓸쓸한 인간에게 남는 것은 영락과 부패뿐이다.' 이상을 향한 열정의 상태를 지니는 한 청춘은 영원하다. 그런 의미에서 한승헌은 영원한 청춘이다."

김은정(전북일보 선임기자)의 〈내 인생의 숲을 빛내주신 스승〉의 한 대목이다.

"농민군 유골 봉환을 위해 일본을 방문한 자리에서 보여 준 변호사님의 정중하면서도 당당한 자세도 잊을 수 없다. 홋카이도대학에서 열린 농민군 유골 봉환식에서 변호사님은 직접 쓰신 고유문에 일본 정부의 사과를 강력하게 요구하는 내용을 담아 낭독하셨는데, 홋카이도대학의 하이야 게이조 교수는 그에 화답하듯 일본 대학이 진행한 식민학과 인종론 연구와 유골을 수집 방치한 과거의 일들을 공식적인 자리를 통해 사과했다.

특히 하이야 교수는 문학부 이노우에 교수와 함께 유골 봉환에 동행, 전주에서 열린 진혼식에도 참석해 사과문을 직접 낭독하기도 했는데, 그들이 봉환단과 함께 전주까지 동행한 데는 변호사님의 권유가 있었다는 것을 아는 사람은 그리 많지 않다."

장영달(전 국회의원, 우석대학교 명예총장)의 〈내 인생의 등대, 한승헌 변호사님〉의 한 대목이다.

"박근혜 정권말기, 촛불정국이 한창일 때 '민청학련동지회' 총회가 열렸다. 민주화운동의 산실이었고 박형규 목사님께서 시무하시던 을지로5가 서울제일교회 강당이었다. 당시 상임대표는 유명한 사형수 이철 동지였다. 한승헌 변호사님도 1974년 민청학련사건과는 무료 변론 등 여러 면에서 깊이 관련이 있어 고문으로 계셨다.

이날 총회는 시국문제와는 관계없이 실무적인 안건만을 처리하고 끝나 내가 집까지 모시기로 하였다. 그런데 귀가 중에 나는 꾸지람 아닌 '엄중 경고'를 받았다. '역전의 민주투사들이 모처럼 모였으면 하다못해 성명서라도 하나 내야지 이게 뭔가!' 하시면서 여간 실망스러워하시는 모습이 아니었다. 나 역시 그토록 철저한 시국인식과 역사의식을 미처 갖지 못한 것에 대해 부끄러움을 느꼈다."

제 25 장

여생의 과제,
기록과 정리

《경향신문》에 '재판으로 본 한국현대사' 연재

    그는 노령에도 글쓰기를 멈추지 않았다. 그만큼 하고 싶고 남기고 싶은 말이 많았다. 2014년 10월 13일부터 《경향신문》에 〈의혹과 진실 한승헌의 재판으로 본 현대사〉를 45차례 매주 월요일 연재하였다.

    '의혹과 진실'은 여운형 암살사건, 국회프락치사건, 진보당사건 등 6·25 전후 분단과정에서 생긴 주요 정치사건은 물론 한 변호사 자신이 맡았던 독재치하의 시국사건들, 그리고 날조한 김대중 내란음모사건, 전두환·노태우 내란사건, 노무현대통령 탄핵심판 등 해방 이후 최근까지 한국현대사 안에 얼룩진 정치적 사건 17건의 진상을 재판을 중심으로 파헤친다.

연재에 앞서 《경향신문》과 가진 인터뷰에서 기자가 "이번 연재에서 다룰 사건의 선정기준"을 물었다.

"역사적 의미와 무게가 상대적으로 큰 사건, 언론보도나 학술연구 등 각종 논의에서 자주 거론되는 사건, 그리고 수사나 재판 과정에서 정치적 복선 등 의혹이 폭발된 사건이라는 세 가지 기준을 가지고 골랐다"고 말했다.

"특별히 의미가 크다고 생각하는 사건은 무엇인가요?"

"진보당사건, 대통령 긴급조치사건, 전두환·노태우 반란사건 등이 역사에 큰 임팩트를 미쳤다고 볼 수 있지요. 그밖의 사건도 파장이나 충격이 컸고 정치적 의도로 연출된 사건이라는 공통점이 있습니다. 권력자가 검찰과 법원을 이용했다고도 볼 수 있어요. 정치적 의도에서 나온 조작과 은폐를 판결로 추인해준 데 불과한 사례도 많았거든요."

"한국 민주화 과정에서 사법부의 공과는 무엇일까요?"

"압제가 심할수록 법관의 용기와 신념이 절실한데 우리 사법부는 그 반대였습니다. 재판을 통해 민주주의와 인권을 수호해야 할 사법부가 제 소임을 다하지 못하고 더러는 시녀노릇을 했습니다. 1987년 6월항쟁 이후 사태가 어느 정도 민주화되자 반사적으로 법원도 독립을 회복하지요. 그러나 자력이 아니라 법관들이 죄인으로 낙인찍고 징역 보낸 그 피고인들의 고난과 투쟁의 결과로 사법권의 독립을 언어낼 수 있었습니다. 참 아이러니한 일이었지요. 물론 양심과 용기로 올바른 재판을 하다가 불이익을 입은 법관들이 소수나마 있었기에 참 다행이었죠. 정권이 보수화하고 민주적이지 못할수록 사법의 역할도 더욱 절실해집니다. 오늘의 법관들도 이 점을 마음 깊이 새겨두어야 할 것입니다."

"연재에서 독자들에게 어떤 메시지를 전하고 싶으십니까?"

"우리 국민은 엄청난 비극이나 충격적인 사건조차 빨리 쉽게 망각하는 경향이 있습니다. 지금 이 정도의 민주화된 사회를 이룩하기까지 수많은 사람들의 수난과 투쟁이 있었다는 사실을 간과하면 안됩니다. 특히 지난 역사에 관심이 없거나 역사를 잘 모르는 젊은 세대가 읽어줬으면 합니다. 요즘 세대는 개인의 영역에만 몰입하는 경향이 있는데 국가나 사회의 현실과 미래에 대해서도 좀 더 관심을 가졌으면 합니다. 역사는 알고 깨달아야 주권자인 우리 국민이 정치의 객체가 아니라 주체로 격상되어 살아갈 수 있습니다.*

연재가 끝나고 부분적인 보완·수정을 거쳐 2016년 3월 《재판으로 본 한국현대사》란 제목으로 창비에서 출판되었다. 그는 출간을 맞아 마련한 기자간담회에서 자신이 변호인이었던 인혁당사건 여정남의 죽음에 대해 분개하면서 사형당한 8명 모두 2007년 무죄판결을 받

* 〈시대의 망각 막기 위해 '자판기 판결'의 진실을 말하겠다〉, 《경향신문》, 2014년 10월 6일치.

았지만, 이미 이승을 떠난 그분들이 다시 돌아올 수는 없었다고 개탄하면서, 덧붙였다.

"사법부가 불의에 눈 감고 정의를 외면하는 세상에서 변호인의 쓸모가 무엇인지 고민했다. 잘못된 재판을 법정 밖으로 끌어내 동시대와 후대 사람에게 알려야겠다고 생각했다. 그게 기록자로서, 증언자로서 자신의 책무라고 판단했다."*

---

* 한승헌, 〈기록자로서 내 노력이 국민 '망각 방지'에 도움되길〉, 《경향신문》, 2016년 3월 26일치.

《하얀 목소리》 시집 간행

조선시대 1급 선비의 품목은 문·사·철·시·서·화에 일가를 이루고 여기에 거문고 등 예악을 첨가하였다. 좀체로 갖추기 어려운 학인이자 예술가에 속한다. 현대인들에는 더욱 어려운 학업이고 과제이다.

군소리 빼고, 한승헌은 이를 상당 수준 두루 갖춘 학인이라 해도 이의를 제기할 사람은 많지 않을 것이다. 그는 시인이다. 27세에 첫 시집 《인간 귀향》을 내고 33세에 제2시집 《노숙》을 펴내었다. 그리고 한국문인협회(시분과)에 가입하여 평생 이르렀다. 시화전도 열고 행사장에서 시낭송도 하였다. 대학시절에 이미 신문에 시를 발표하여 신석정 선생 등의 평가를 받았다.

법조인이 되고 민주화운동에 참여하면서도 가끔 문학지와 일간지에 시를 발표하여 문인들로부터 "이젠 시인으로 돌아오라"는 요청을 받기도 하였다. 2016년 만추에 시집 《하얀 목소리》를 간행했다. 시 전문의 서정시학에서 '서정시학 시인선 127'의 번호를 달고서였다.

시인은 새 시집 〈시인의 말〉에서 "《인간귀향》과 《노숙》에서 추리고, 그후 여기저기 실었던 작품을 함께 묶어 이 《하얀 목소리》를 내게 된 것은 하나의 '정리 요구'에서 나온 작업이다. 부질없는 능장에 부끄러움을 숨길 수가 없다"*고 썼다.

---

* 한승헌, 《하얀 목소리》, 시정시학, 2016.

'정리 욕구'는 이별을 앞둔 '노숙자'의 '귀향'을 의미하는 듯하여 마음이 무겁다.

시집은 제1부 〈하얀 목소리〉에 11수, 제2부 〈노숙〉에 10수, 제3부 〈인간귀향〉에 10수, 제4부 〈병동기〉에 9수, 말미에 문학평론가 임헌영의 해설 〈젊은 변호사의 정신적 노숙시대〉가 '미수에 이른 젊은 변호사'의 시혼을 분석한다.

책의 제목으로 뽑힌 〈하얀 목소리〉와 시인 스스로를 형상화한 듯한 〈노숙〉을 소개한다.

하얀 목소리

하얀 종말 곁에
마주 보던 목숨이여!

— 또 오셨군요,
— 할 수 없지요,
혈액원 앞뜰에서 인사를 하던
한 젊은이가 쓰러지는
서울의 정오 뉴스 —
그것은
우리 시대의 만가(輓歌)였다.
저만치 보이다가 침몰해버린

파도 속의 얼굴

지워진 내 이름의 자리

지금은 누가 있는가.

미운 자들의 웃음소리에도

귀먹은 유월은 그저 푸르구나.

여기 미친 자들의 공간

몸살을 하다하다

꽃잎은 진다.

혼자만의 물줄기 가눌 길 없는

초여름 긴 하루의 종착

결국 아무도 만나지 못한

헛걸음이 끝나는 자리에서

당신은 그렇게 쓰러져갔다.

누구 안에도 내가 머물지 못하듯

내 안에 이제 아무도 없다

아쉽고 착한 것은 으레

먼저 떠난다.

— 또 오셨군요.

— 할 수 없지요.

슬픈 산하에 잠기는 하얀 목소리
오늘 나는 부끄러운 조객(弔客)인 것을…*

노 숙(露宿)

지금은 아무도 모르는 일이다.
대지는 말이 없다.

남루한 연륜이 서린
오늘 이 부끄러운 계단에 서면
허물어진 폐허에
그래도 장미는 피고
다시 지고…

너와 나의 의지할 곳 없는 입김이
희미한 신호등 아래 서성거릴 때
그것은 한 방울 이슬 같은 것.

* 앞의 책, 13~14쪽.

그 오랜 세월

인종(忍從)의 거리와 거리 모퉁이마다

사랑도 없이 해는 저물어

싸늘한 벽돌 담 아래 밤마다

진실과 내가 부둥켜안고 노숙할 때

가슴 깊이 받들어 온

염원의 숨결

주르르 적셔 내리던 뜨거운 눈물

아, 무너지는 형상을 위하여

무릎 꿇고 손 모으던 나…

산다는 것은 하나의 진실을 마련하는 일

그것은 외로운 작업

벅차고 눈물겨운 일이다.

아, 마음이 가난한 자는

복이 있나니

복이 있나니

몸부림 속에 복이 있나니.*

임헌영 문학평론가 '해설'의 한 대목이다.

---

* 앞의 책, 41~42쪽.

"그의 시는 전통적인 서정시와 난해한 모더니즘의 전성기에 형성되었으면서도 어느 유파에도 속하지 않는 독창성을 돋보이게 했다. 그에게 시는 역사와 민중으로 다가서기 위한 정서적인 자기 내성이자 다짐이며 투지의 단련 과정이었다. 그가 이룩한 민주화와 통일운동의 원동력은 바로 이 시기의 이 시집에서 비롯되었다는 것을 확인시켜 준 셈이다. 변호사, 수필가로서의 명성에다 이제는 시인이란 칭호를 하나 더 붙여주는 게 도리일 것이다."*

---

* 앞의 책, 107쪽.

법치주의여, 어디로 가시나이까

그는 기록성이 강하다. 기록의 중요성을 일찍부터 인식하고 실천하였다. 그의 많은 자료집과 저술의 성과는 바로 기록을 출발지점으로 한다. 기록과 관련한 그의 발언이다.

"우리 민족은 서구인들에 비해 기록성이 약합니다. 예로부터 기록을 남기면 화를 초래했기 때문에 되도록 기록하지 않았던 거지요. 기록되지 않은 역사는 잊혀지게 되고 결국 역사의 뒤안길에 묻혀버립니다. 작은 것 하나라도 나중에 귀중한 역사의 증거가 될 수 있다는 생각에서 모으고 기록한 것이지요."*

이렇게 하여 모으고 정리한 책이 2018년 5월에 펴낸 《법치주의여, 어디로 가시나이까》(삼인)이다. 1장 한국의 법치주의와 국가권력, 2장 압제에 대한 기억과 지식인, 3장 법을 통한 정의 실현의 문제, 4장 법조인생의 뒤안길로 나뉘어 총 40편의 논저, 포럼 주제발표 요지, 연수원 특강, 언론인터뷰, 출판기념회 답사, 기념강연, 추도사, 대학특강, 인권강좌, 축사, 재심공판 최후진술, 인권상 수상인사, 학생들에게 들려준 인생 이야기 등 형식과 방식이 다양하다. 그럼에도 전편에 흐르는 맥락은 '법치주의에 대한 오해와 염원'이다. 책의 머리말 제목이고

---

* 정지환, 〈권두인터뷰 : 감사원장 한승헌〉, 《말》, 1908년 4월호.

오늘 한국의 현실적 과제이기도 하다.

"가장 큰 문제는 법치주의의 본질 내지 지향점에 대한 오해에 있습니다. 적어도 근대적 의미의 법치주의라면, 그것은 국민에 대한 치자(治者)의 하향적 준법 명령보다는 치자도 법의 제약을 받아야 한다는 상향적 견제를 본질로 하는 것입니다. 그런데도 위와 같은 상향성과 하향성이 뒤바뀌어 마땅히 선행되어야 할 치자 준법의 일탈은 제쳐놓고 피치자의 준법만 강요되는 전도(轉倒) 현상을 드러냈습니다.

이처럼 이 나라의 법치가 정의와 민주주의를 지향하는 정도(正道)를 상습적으로 벗어나는 현실을 보면서 우리 국민들은 '도대체 누구를 위한 법치주의인가?'라는 강한 의문과 부딪치게 되었습니다. 《법치주의여, 어디로 가시나이까》라는 이 책의 제호도 그런 개탄과 맥을 같이하는 절실한 염원에서 나온 작명입니다."*

그가 이 책을 펴낼 때는 법조생활 60년 차였다. 그럼에도 지배자들의 바뀌지 않는 '법치'를 비판한 것이다.

"저는 올해로 정확히 60년 동안을 법조인으로 살아오면서 이 나라의 법치주의의 명암을 최전방에서 체험해 왔습니다. 그러면서 적지않은 발언도 하고 글도 써 왔지만, 그 밑천은 대부분 법조계의 야전군으로서 터득한 체험에서 나온 것들이었습니다. 거기에서 보고 듣고

---

*   한승헌, 《법치주의여 어디로 가시나이까》, 20쪽, 삼인, 2018.

체험한 한국의 법치주의는 상처투성이의 안쓰러움을 안겨주었습니다. 요즘 말로 '기울어진 운동장'이자 청산되어야 할 '적폐'가 거기에도 있었습니다."*

그는 서울대학교 2014년 로스쿨 입학생 강연(2월 28일) 〈새 시대에 합당한 법조인, 입신에서 헌신으로〉에서 미래의 법조인들에게 당부한다. 지적 역량과 인성, 대접받기보다 존경을 받도록, 씻어야 할 부정적 이미지, 법치주의의 위기, 선택의 어려움과 자승(自勝)을 당부하면서 유머 한 토막으로 마무리하였다.

"끝으로 오늘의 강연을 마치면서 보너스로 이야기 하나를 덧붙이겠다. 임종을 앞둔 신부님께서 누구의 문병도 허용치 않으셨는데, 한(어느) 변호사의 간청만은 받아들여서 병상에 들어오는 것을 허락하였다. 병상에 다가간 변호사가 감지덕지하며 말했다. '신부님, 저에게만 이처럼 특별히 문병을 허락해 주셔서 감사합니다.' 그러자 신부님께서 이렇게 말씀하셨다. '뭐, 감사할 것까지는 없어요. 다른 사람들이야 이다음 천국에서 다시 만날 수 있겠지만, 당신 같은 변호사야 지금 만나지 않으면 다시 만날 기회가 영영 없을 터이니까.'
여러분은 신부님 문병을 갔다가 이다음 천당에서 만나자며 거절당하는, 그런 법조인이 되시기 바란다."**

* 앞의 책, 21쪽.
** 앞의 책, 136쪽.

마지막 저서《그분을 생각한다》

2019년 그의 나이 85살이다. 그는 이 해 5월《그분을 생각한다》(문학동네)는 인물평집을 출간하였다. 한국 근현대사 인물집이다. 전봉준으로부터 문재인까지 27명이 소환되었다.

전봉준을 제외하고 모두 그가 직간접으로 교감한 인물들이다. 저자의 머리말에 책의 의미가 담긴다.

"참으로 감사하게도, 내가 접한 인물 중에는 메마르고 야속한 이 세상과 이웃을 위해서 '사서 고생하는' 분들이 많았기에, 그들의 삶을 널리 알려서 독자 여러분의 인생역정에 아름다운 도반(道伴)으로 삼도록 했으면 좋겠다는 생각이 머리를 들었다.

그렇다고 해서 이 책이 유명인사들의 평전이나 일대기는 아니다. 다만 내가 직간접으로 교감한 인물과의 접점과 경험을 사실대로 전하고 싶었을 뿐이다. 그러기에 인물이나 행적에 어떤 미화나 윤색을 할 필요는 없었다. 그들의 삶의 민낯 그대로가 우리에게 티 없는 깨달음을 주는 터여서 인공적 성향은 오히려 진실과 시계(視界)만 흐려놓을 뿐이기 때문이다. 다만, 대상 인물에 대한 전방위적인 이해를 돕기 위하여, 먼저 한 인물이 처했던 시대상황과 삶의 행보를 원경(遠景)으로 넓게 잡고, 이어서 저자가 직접 교감하고 확인했던 인간적 측면을 근경(近景)으로 잡아 써나감으로써 전인적 평가가 이루어지도록 힘썼다."

그가 생각하고 소환한 '그분'들은 누구일까. 발부한 '소환장' 제목
에 그분들의 평가가 담긴 듯하다.

갑오년의 농민 봉기, 서당 훈장이 장군이 되어 — 전봉준 장군

겨레의 스승이신 사상가이자 민주투사 — 함석헌 선생

진보적 신학자의 '범용(凡庸)'을 우러르며 — 김재준 목사

간첩죄로 끌려온 예술가의 부정(父情) — 이응노 화백

'슬픈 목가'의 서정에 담긴 저항 — 신석정 시인

필화사건 법정에서의 변호와 증언까지 — 소설가 안수길 선생

재야 법조의 대부, 불굴의 민주화투쟁, 대한변협회장 — 이병린 변호사

역사의 한복판을 지킨 겨레의 대모 — 시민운동가 조아라 선생

한국 최초의 여성 변호사, 양성평등운동의 선구자 — 이태영 변호사

'범인 은닉'의 '대역 조작'에 성공한 각본 재판 — 이돈명 변호사

기독교의 반유신 본산 '종로5가'를 지킨 성직자 — 김관석 목사

어리석을 만큼 곧게 살다 가신 의인 — 이우정 교수

인간 디제이의 추억 — 김대중 대통령

변호인의 '관대한 처분' 변론에 불복 항소한 신학 교수 — 김찬국 목사

청빈과 지조로 일관한 한국 언론의 초상 — 송건호 선생

우상에 도전한 이성의 역정 — 리영희 교수

껍데기와 쇠붙이를 거부한 시인의 조국 사랑 — 신동엽 시인

동백림 사건의 파편 맞은 문단의 기인 — 천상병 시인

만수대창작사에서 만난 고교 선배 — 인민예술가 정창모 화백

법정에 선 '반미 용공' 소설 〈분지〉 ― 소설가 남정현 선생

공안검사와 맞선 증언으로 문학을 옹호 ― 이어령 교수

한 법관의 '판사실에서 법정까지' ― 박우동 전 대법관

'지리산 전력'의 민족경제론자와 '개판' ― 박현채 교수

거둘 것이 많은 그의 비범한 삶 ― 김상현 의원

박정희 정권의 '사법살인'과 분노의 미루나무 ― 인혁당 사형수 여정남 군

일본 귀화 거부한 재일 한국인 변호사 1호 ― 김경득 변호사

감방에서 시작된 우리의 '동행' ― 문재인 대통령

전봉준에 대한 마지막 부문이다.

"아! 전봉준, 서당 훈장의 몸으로 농민군의 선봉에 섰을 때, 그 눈빛은 얼마나 형형했을까? 옛 동지의 배신으로 체포되어 서울로 압송될 때의 찢어지는 마음은 오죽했을까? 일본 관헌에게 야만적인 고문을 당하면서도 '나를 죽일진대, 종로 네거리에서 목을 베어 오가는 사람들에게 내 피를 뿌려주는 것이 옳거늘, 어찌 컴컴한 도둑의 소굴에서 죽이려 하느냐'고 호통을 치며 죽음 앞에서도 의연했던 전봉준 장군.

그가 손화중 등 동지들과 함께 순국한 지 123주년이 되는 날(2018년 4월 24일), 숨을 거둔 바로 그 자리, 서울 종로 네거리에 장군의 동상을 건립했다. 그는 여전히 눈을 부릅뜨고 있었다.

백성 사랑 올바른 길 무슨 허물이더냐.

나라 위한 일편단심 그 누가 알리.

이런 유언을 남기고 이승을 떠나시던 그날, 마흔한 살의 녹두 장
군은 얼마나 외롭고 통탄스러웠을까?"*

---

* 한승헌, 《그분을 생각한다》, 25쪽, 문학동네, 2019.

향년 88세, 민주사회장으로
광주 5 · 18민주묘지에 안장

2021년부터 건강이 악화되었다. 집안에서 넘어져 거동도 불편했다. 입원과 자택 요양 중 지인들의 소개로 2022년 4월 18일 전주의 대학한방병원에 입원하였다. 의식이 점차 희미해지고, 20일 밤 조용히 눈을 감았다. 마치 자신의 시구절처럼, 특별한 유언은 없었다. 많은 사람에게 그의 부고는 애절하기보다 통절한 아픔이고 슬픔이었다.

종이 운다 ―

모두들 서로의 모습을 가리며 녹슨 일몰을 엮어오던 하루의 나열

한 마리의 새, 한 잎의 낙엽, 그보다 소중한 것도 없이 강하던 생명의 거리

여기 피로한 걸음을 멈추고 저 울려 퍼짐을 들어라.*

서울성모병원 장례식장에 차려진 빈소에는 21일부터 코로나19 사태에도 각계 인사, 시민들의 조문이 줄을 이었다. 이날 오후 3시 문재인 대통령은 조문 후 유가족을 위로하며 '감방동기'인 고인과의 인연을 언급하고 페이스북에 "깊은 존경과 조의를 바친다. 당신은 영원한 변호사였고 인권변호사의 상징"이라고 적었다.

김부겸 국무총리는 "당신께서는 항상 어려운 중에서도 밝은 조크를 하였다"고 추모하고, 40년 지기로 '감옥동기'인 이해동 목사는 "친구이지만 존경했다. 구속된 유신하의 학생들을 누구 하나 변론해주는 사람이 없었는데 유일하게 저 양반이 변론을 도맡아 하시다시피 했다"고 회고했다.

24일 오후 5시 서울 서초구 성모병원 장례식장 예식실에서 추도식이 거행되었다. 상임장례위원장 함세웅 신부, 공동상임집행위원장 김도형 민변회장, 박래군 4·16재단 상임이사, 안지중 한국진보연대 집행위원장, 호상 박용일 민변 창립회원, 박종렬 목사, 장영달 민청학련 동지회 상임대표로 하는 장례위원회가 구성되었다.

장례위원회는 민주사회장으로 장례를 모시기로 하고 4월 25일 모교인 전북대학에서 노제를 거쳐 광주 5·18민주묘지에 안장키로 결정하였다.

24일 추도식은 함세웅 신부를 비롯해 김선수 대법관, 김준태 시

---

* 한승헌, 〈영시의 윤회〉, 앞 부문, 《하얀 목소리》, 25쪽.

인, 김영주 한국기독교민주화운동 상임이사, 명진 스님 등이 추모사를 하고, 소리꾼 장사익 씨가 고인의 시로 만든 노래를 조가 대신 불렀다.

빈소 앞에는 동판에 각인된 "자랑스럽게 살지는 못하더라도 부끄럽게 살지는 말자"는 고인의 좌우명이 눈길을 모았다. 추모 영상에서 고인의 유머를 담은 육성이 흘러나와 숙연했던 추도식장에 잠시 웃음이 터져 나왔다.

25일의 발인식에는 1987년 방북으로 재판을 받았던 임수경 전 의원, 재일동포 유학생 학원침투 간첩조작사건으로 극심한 고문을 받다 분신을 시도했던 서승 우석대 석좌교수 등이 찾아와 고인을 추모했다.

이날 오후 모교인 전북대학교 노제에는 고향 지인들의 배웅과 김용택 시인의 추모시 낭독에 이어 유기상 고창군수의 추모사로 진행되었다.

25일 오후 광주 북구 운정동 국립 5·18민주묘지 2묘역에서 안장식이 거행되었다. 유족의 뜻에 따라 고인의 평소 신념인 "자랑스럽게 살지는 못하더라도 부끄럽게 살지는 말자"를 묘비 뒷면에 새겼다. 유족이 이를 유언처럼 받아들인 것이다.

김용철 변호사는 추도사에서 "고인은 민주주의가 압살되고 인권과 정의가 억압받던 엄혹한 군사정권 시절, 민주대열의 최전선을 지키셨습니다. 이제 우리가 인권과 정의가 강물처럼 흐르는 세상을 만들겠습니다. 걱정마시고 영면하십시오"라고 추모했다.

안장석에 참석한 1980년 5·18광주민주화운동과 1987년 6월항쟁 참여자들이 고인의 민주화 투쟁과 열정을 추모하며 고인의 영면을 기원하였다.

　각종 매체에 여러 편의 추모사가 실렸다. 민변사무처장 조영관 변호사는 "'하나의 진실' 향한 소명… 닮고 싶은 시대의 큰 어른"이라 추모하고, 감사위원 김인회 교수는 "균형과 품격의 삶 보여준 '시대의 스승'이셨죠"라 하였다. 문학평론가 임헌영은 "시인 · 휴머니스트이자 해학가였던 '한변'… 당신의 유머가 그립습니다." 전북대 이종민 명예교수는 "아직 목마름… 꽃잎 져도 줄기는 남고 뿌리는 살아 슬픔이 힘 옮겨, 새 '희망의 정수박이'에 붓습니다"고 추모하였다.

존경하는 한승헌 변호사님의 영원한 안식을 기립니다.

함세웅 장례위원장의 추모사이다.

"사법권을 쥔 법관 또한 법률과 양심에 따라서만 심판하게 되어 있습니다. 그러니까 법률이 규범으로서 타당성을 잃지 않아야 하고 법관의 양심이 제대로의 바탕을 갖추고 있어야 함을 전제로 해서만 재판의 정당성이 인정되는 것입니다. 만일 두 가지 전제 중 한 가지만 이라도 고장이 생긴다면 범죄를 다루는 재판 그 자체가 또 하나의 범 죄를 범할 우려가 있습니다. 이 세상에서 좌절된 당신의 소망이 명부 의 하늘 밑에서나마 이루어지기를 빕니다."

박정희 군사독재정권이 조작한 유럽간첩단 사건으로 1972년 7 월 13일 사형집행을 당한 김규남 의원을 위해 쓰셨던 조사의 일부분 입니다.

평생을 인권과 억울한 이들의 대변자가 되기를 원하셨고 법과 정 의가 바로 선 나라를 위해 헌신하신 변호사님의 소망이 하늘에서 이 루어지기를 바라며 변호사님의 영원한 안식을 위해 기도드립니다.

변호사님은 검사로 법률가의 길을 시작하셨습니다. 그러나 검사 로서 역할보다 변호사로서 활동이 사회공동체를 위해 더 많은 일을 하실 수 있다고 확신하시고 '법' 때문에 고통받는 이들의 옆으로 오셨습니다.

법률가로서 삶을 시작하시면서 초심을 잃지 않으신 변호사님은 조사에 쓰신 것처럼 법과 양심에 따라 일생을 우리 사회공동체와 함께 하셨습니다.

변호사님은 '인권변호사'라는 말 자체가 적절하지 않다고 하셨습니다. '법률가의 삶' 그 자체가 법과 양심에 따라 수사하고, 재판하고, 변호하는 것이 바로 인권수호이기 때문입니다.

군사독재정권에서 많은 수사와 재판이 법률가의 양심과 법률에 위반한 범죄였습니다.

판사, 검사가 저지르는 범죄행위에 변호사님은 양심에 따라 저항했고 그 불법성을 우리 사회공동체가 공유하고 기억하고 그래서 사회가 변혁되기를 염원하시며 한결 같은 모습으로 우리와 함께 사셨습니다.

변호사로서 평범하기를 바라신 그 꿈을 군사독재정권과 야합한 검사와 판사들은 반공법 위반으로 변호사님을 구속하여 292일간의 수감생활을 감내하셨습니다. 변호사님은 자신의 억울한 수감생활이 법률가들이 저지른 사회적 범죄행위에 대해 속죄하는 마음으로 임하셨습니다.

어려운 중에도 주변에 늘 웃음을 자아내게 하는 유쾌함을 지니신 변호사님은 사람들 개개인의 인간적 가치에 충실했던 올 곧은 삶으로 우리 모두가 그리워하고 존경하고 본 받아야 할 시대의 사표였습니다.

김대중정부에서 감사원장으로 부임하셨을 때 변호사님의 요청으로 잠시 감사원 자문위원으로 변호사님을 도와드릴 기회가 있었습니다. 감사원장으로서 변호사님은 감사원 직원들이 직무 특성상 군인들보다 더 경직된 업무 환경이 개선되어 사람들 사이의 관계를 복원하고 국가기관이 사회공동체를 위해 헌신하는 기관으로 전환되어야 한다고 생각하셨습니다.

인간성이 상실되면 사람들의 삶, 인간적 가치를 부정하게 되고 결국은 공동체의 근본적 가치가 훼손될 우려가 있으니 직원들 스스로 자신을 존중하고 공동체의 소중함을 먼저 생각하는 근무환경을 만드는 일이었습니다. 공동체를 위해 모두가 인간의 선한 본성을 지키며 살기를 바라셨던 변호사님의 참 모습을 우리는 오래도록 기억하며 추모하게 될 것입니다.

검찰제도 개혁에 대한 논쟁이 세상을 시끄럽게 하고 있습니다. 변호사님의 삶이 그 대안이라고 생각합니다.

상식을 잃어버린 시대, 변호사님의 빈 공간이 더욱 큰 아쉬움으로 다가옵니다.

변호사님이 그렇게 바라신 인권을 존중하는 아름다운 나라, 이제 이 자리에 모인 저희가 모든 힘과 정성을 모아 함께 실현할 것을 다짐합니다.

영원하신 하느님! 주님의 성실한 일꾼 한승헌 변호사에게 영원한 안식을 주소서! 영원한 빛을 그에게 비추어 주소서! 아멘.

변호사님, 이제 하늘나라에서 남북 8천만 겨레의 일치와 평화의 전달자가 되어주소서. 아멘

'지는 싸움' 계속하였던
산민 한승헌 선생을 기리며

많은 추모사 중 '저작권법에 저촉되지 않은' 한 편을 싣는다.

대한민국 70년 사법사에서 판사 · 검사 · 변호사 · 피의자 · 증인 · 방청인을 모두 거친 이는 딱 한 사람뿐이었다. 4월 20일 우리 곁을 홀연히 떠나신 산민(山民) 한승헌 선생이다. 그의 육성을 들어보자.

그동안 나는 심판관석(군 법무관 때), 검찰관석을 거쳐 변호인석으로 옮겨 앉다가 마침내는 피고인석과 방청인석까지 두루 거친 다음 1983년 복권되어 다시 변호사의 자리로 돌아왔다. 한 번 되기도 어려운 변호사를 두 번이나 되는 행운(?)을 누렸는가 하면, 감옥만 해도 서울구치소를 '재수'까지 마치고 육군교도소를 거쳐 50대 나이에 소년교도소까지 두루 거쳤다. 여자교도소만 못 가 봤다. 기록이라면 기록일 수도 있는 이 모든 곡절을 팔자 탓이라고 돌릴 수도 있겠으나 다양한 체험을 통해서 얻은 것도 적지 않았다.《불행한 조국의 임상노트 : 정치 재판의 현장》

산민은 법조 전역을 거쳤지만 어디까지나 본령은 변호사였다. 군사독재가 사법부를 통치의 하수기관으로 만들어 인권을 유린할 때 그는 빼어난 인권변호사였다. 김대중 정부에서 한때 감사원장을 지냈으나 곧 재야로 복귀하여 국민의 인권보호에 앞장섰다.

학생·민주인사들에 대한 검찰의 구형과 판사의 선고가 똑같아서 '자판기 판결', '정찰제 판결'이란 명언을 남겼다. 사법부(검찰 포함)의 타락·탈선에 대한 100마디의 설명보다 효과적인 '판결문'이었다. 그가 사법부의 비민주성을 질타하는 불화살을 날린 것이다. 군법회의 법정이 구형량에서 한 푼도 깎아주지 않던 유신·5공시대의 판결을 산민은 "대한민국의 정찰제는 백화점 아닌 군법회의에서 최초로 확립되었다"고 판시했다.

군사독재 시대 민주진영에서는 '지는 재판만 해온 변호사'로 유명세를 탔다. 그 자신이 독재세력에 '찍혀'서 그가 변론을 맡은 사건은 오히려 불리한 결과를 가져오기도 했다. 그럼에도 학생들과 민주인사들은 그에게 변론을 맡기고자 줄을 섰다.

⑴선생의 넉넉한 유머와 마음씨
비화가 있다.
산민이 변호를 맡았던 모 정치인이 어느 날 밥집에서 "한 변호사가 변호한 사람 치고 징역 안 간 사람 있으면 손들어 보세요"라고 하여 좌중을 웃음바다로 만들었다.
이를 묵묵히 지켜보던 한 변호사 왈 "징역 가면서도 나에게 고맙다고 인사 안 한 사람 있으면 손들어 보시라"고 응대하여 다시 한 번 밥집을 진동시켰다.

작년 이맘 때였던가. 청암 송건호선생 기념사업회 이사회가 끝나고 근처 찻집에서였다. 몇 달 전에 만났을 때의 감기가 그대로인지 몸이 많이 야윈 모습이었다.

"변호사님 아직도 감기가 안 떨어졌나 봐요?"

"내 감기는 주한미군입니다."

얼른 감이 잡히지 않아 얼떨떨해 있는데,

"한 번 들어오면 나갈 줄 몰라요."

예의 위트가 발동한 것이다.

"그런데 저는 반미주의자가 아닙니다."

웬 느닷없이 '반미론'인가, 다시 얼떨떨해 있는데,

"저는 커피는 아메리카노만 마십니다."

필자가 불현듯 "아메리카 노(NO)이네요."

한바탕 웃고 '저작권'을 얻어서 가끔 써먹는데, 분위기는 썰렁하다.

여러 해 전이다. 전화가 왔다. 부탁이 있다는 거였다. 내용인즉슨 필자가 쓴 《한국필화사》에 실린 한 편을 당신의 책에 싣고 싶다는 것, 글은 〈어떤 조사(弔辭)〉였다.

이 글은 선생이 1972년 9월 여성잡지에 썼던 것을 1974년 간행된 《위장시대의 증언》에 실었다가 반공법 위반 혐의로 구속되고 결국 변호사 자격마저 박탈당했던 당신의 글이다.

중앙정보부에서 책은 물론 관련 자료를 모두 '싹쓸이'해 가서 자료를 찾을 수 없었다는 것, 아무리 그렇기로서니 자신의 글을 자신의 책에 신겠다고 타인에게 양해를 구하는 마음씨, 뒷날 그 까닭을 물었더니 저작권법을 연구하다가 내린 결론이라는 것, 선생은 저작권 연구의 대가이기도 하다.

1989년 6월 전국대학생대표자협의회(전대협)는 평양에서 열리는 '세계청년학생축제'에 한국외국어대생 임수경 씨를 참석시켜 북녘 동포들에게 큰 감동을 주고 귀환하여 구속되었다.

'통일의 꽃'이 된 그는 국가보안법 위반 혐의 등으로 구속되고 산민은 변호인으로 자원했다. 옥고를 치른 뒤 임수경 씨가 결혼을 할 때 이런 인연으로 주례를 맡았다. 주례사 왈 "이 혼인이 결코 어느 한쪽에 의한 흡수통일이 되어서는 안 된다. 서로 찬양 · 고무 · 동조하면서 잘 살아가기 바란다."

(2)검찰제국이 우려되는 시기 선생의 부재
선생은 세상에는 덜 알려졌으나 시인이기도 하다. 말년에 시집 《하얀 목소리》를 낸 바 있다. 여기 실린 〈백서〉의 한 대목.

거센 비바람이야 어제 오늘인가
아직은 목마름이 있고
아직은 몸부림이 있어
시달려도 시달려도 찢기지 않는

꽃잎 꽃잎

꽃잎은 져도 줄기는 남아

줄기 꺾이어도 뿌리는 살아서

상처 난 가슴으로 뻗어 내려서

잊었던 정답이 된다.

선생은 암흑의 시대 정의로운 사람들과 힘없는 민초들을 변호하
며 넉넉한 유머·기지·해학으로 세상을 밝혀주었다.

철학자이자 시인인 바이런이 "사람은 질 줄 알면서도 싸워야 할
때가 있다"고 했듯이, 산민 선생은 불의한 시대에 굽히지 않고 '지는
싸움'을 계속하셨다. 정치적 소용돌이 속에서 많은 법조인과 언론·
지식인들이 재물과 허영은 좇으며 시류에 영합할 때 선생은 타고난
반골정신과 탐구심으로 법전은 물론 문·사·철·시·서를 넘나드는
필봉으로, 행동으로, 불의한 무리와 맞섰다.

시대가 다시 검찰제국이 우려되는 시기에 선생의 부재는 큰 손실
이지만, 1991년에 쓴 〈시대의 격랑 속에서〉의 한 대목을 새기면서 극
복해 나가야 할 것이다.

"자랑스럽게는 못 살망정 부끄럽게 살지는 말자는 것, 지식인의
도리는 다 하지 못할지라도 학기(學妓)는 되지 말자는 것— 이런 자계

(自戒)는 여전히 유효하다."

산민 한승헌 선생님, 영면하십시오.*

*   김삼웅, 《오마이뉴스》, 2022년 4월 22일.

덧붙임—
워즈워스가 존 밀턴에게 드린 헌사를

아무리 같은 시대를 살아도 왜곡된 렌즈로 세상을 보거나 탐욕의 위장으로 사물을 대하면 진실과는 멀어지게 마련이다. 산민 한승헌 선생은 '동물농장'과 비슷한 시대에 일반 지식인들과는 관념의 깊이와 체험의 부피가 많이 달랐다.

그는 원칙과 신념의 지식인이고 법조인이었다. 체득한 지식을 앞으로 묻어두지 않고 삶의 과제로 삼아 실천하였다. 그 길은 비탈길이었다. 거기에서 자신이 감당해야 할 역사의 몫을 찾았고 두려움 없이 망설임 없이 그 길을 걸었다. 험난해도 항상 얼굴에 잔잔한 미소 띠우고 유머 펀치 날리면서 대열에서 이탈하지 않았다.

사회 곳곳에 몰염치와 파렴치가 판치고, 철면피가 초근목피를 지배하고, 법치가 망치를 휘두르고, 이죽거림과 패악질이 공론의 장을 어지럽힐 때도 그는 늘 깨어 있는 영혼, 맑은 정신이고자 하였다. 후각이 발달한 지식인 · 언론인 · 법조인 중에는 정 · 관 · 재계를 넘나들며 출세를 뽐내었다.

그는 과거에 머물지 않았고 현재에 안주하지 않으면서, 진실을 추구하며 느리지만 지체하지 않는 삶을 살았다. 출세주의자들이 돼지의 포만을 즐길 때, 고뇌하는 소크라테스처럼 '등애' 역할을 하고자 하였다.

'역사의 기능' 중에는 인간사의 알곡과 쭉정이를 골라내는 역할도 포함된다. 누구나 겪게 되는 '떠남'의 자리에는 세상에서의 성적표가 제시되고 평가받는다. 각계에 지도자는 넘쳐도 원로다운 원로가 드문 우리 현실에서 선생은 원로로서, 원로가 어떠해야 하는가의 모습을 보여주었다.

산민 선생이 조선후기에 태어났으면 양명학 계열의 선비(실용주의), 일제강점기에 청년이었다면 아나키즘계열(자유분방)의 지사가 되지 않았을까 그려본다.

영국의 대표적인 낭만파 시인 윌리엄 워즈워스(1770~1850)는 조국의 정치 · 도덕 · 종교적인 타락상을 지켜보면서 원칙과 신념의 지식인 · 활동가 존 밀턴(1608~1674)이 간절히 필요한 시대라고 설파하는 한 편의 소네트를 써서 밀턴에게 바쳤다. 워즈워스의 심경으로 산민 선생의 영전에 드린다.

밀턴, 그대야말로 우리 시대에 살아 있어야 하겠다.

영국은 그대를 요구함이 간절하다.

지금 이 나라는 괴인 물 썩어가는 늪 같으니,

교회도, 군대도, 문학도, 가정도, 웅장한 부호의 저택도

마음 속의 행복을 잃었도다.

아, 우리를 일으키라, 우리에게 돌아오라.

그리하여, 우리에게 예의와 덕행과 자유와 힘을 달라.

그대의 영혼은 아득한 별 같이 고고하게 살았고,

그대의 목소리는 바다같이 울렸다.

맑은 하늘처럼 깨끗하고, 위엄 있게, 그리고 자유롭게

그대는 인생의 대도(大道)를 경건한 기쁨 가운데서 걸었다.

그러나 또한 가장 낮은 의무마저 피하지 않고.*

한국처럼 이념 · 계층 · 지역 · 세대 간의 벽이 두터운 나라에서 사회의 지도적 인물이 벽을 넘어서 많은 사람으로부터 존경받기란 쉽지 않다. 한 쪽의 인물이 상대 쪽에서는 배척당하기 일쑤다. 식민지→ 분단→ 전쟁→ 독재가 남긴 생채기라 하겠다.

산민 한승헌 선생은 벽을 뛰어 넘은 인물 중의 한 분이 아닐까 싶다. 진보진영에 속하면서도 보수 쪽 인사들과도 소통이 가능했다. 그렇다고 그의 길이 중도노선인가 하면 그건 아니다. 독재 · 부패 · 독점 · 불의에 단호하다. 심장이 뜨겁고 영혼이 맑은 사람들이 그렇듯이 그의 진심이 통하기에 가능했던 것이다.

다시 법치가 망치로 둔갑하고 관제 자유가 민주와 공화를 유린하는 시대에 선생의 빈 자리가 더욱 넓어보이는 것은 왜일까.

— 지금까지 읽어주신 모든 분들께 감사드립니다. (끝)

---

* 박상익, 《밀턴평전》, 11~12쪽, 푸른역사, 2008.

한승헌 평전

초판 1쇄 발행 2023년 4월 20일

지은이   김삼웅
펴낸이   윤형두 · 윤재민
펴낸곳   종합출판 범우(주)

등록번호   제 406 - 2004 - 000012호(2004년 1월 6일)
         (10881) 경기도 파주시 광인사길 9 - 13 (문발동)
대표전화   031)955 - 6900, 팩스 031)955 - 6905

홈페이지   www.bumwoosa.co.kr
이메일   bumwoosa1966@naver.com

ISBN 978 - 89 - 6365 - 494 - 2 03990
＊잘못된 책은 바꾸어 드립니다.
＊이 도서의 국립중앙도서관 출판시 도서목록(CIP)은 e - CIP홈페이지
(http://www.nl.go.kr/cip.php)에서 이용하실 수 있습니다.